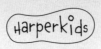

First published in Great Britain 2022 by Farshore
An imprint of HarperCollins*Publishers*
1 London Bridge Street, London SE1 9GF
www.farshore.co.uk

HarperCollins*Publishers*
Macken House, 39/40 Mayor Street Upper,
Dublin 1, D01 C9W8, Ireland

Written by Thomas McBrien
Additional illustrations by Kate Bieriezjanczuk
Special thanks to Sherin Kwan, Alex Wiltshire and Milo Bengtsson

This book is an original creation by Farshore

MOJANG
STUDIOS

HarperCollins Polska sp. z o.o., Warszawa 2022

Tłumaczenie: Tomasz Klonowski
Wydawca: Anna Czerepaniak
Redaktor prowadzący: Roma Król
Redakcja: Rafał Sarna. Korekta: Katarzyna Sarna
Redakcja techniczna: Ewa Jurecka
DTP: Ekart

Wydanie pierwsze, Warszawa 2022
HarperCollins Polska sp. z o.o.
ul. Domaniewska 34A, 02-672 Warszawa
ISBN 978-83-276-6960-5
Druk: Włochy
ID HC22GLO0102-08

RADY DLA MŁODYCH FANÓW DOTYCZĄCE BEZPIECZEŃSTWA

Czas spędzony w sieci to świetna zabawa! Oto parę prostych zasad, dzięki którym młodzi fani
będą bezpieczni podczas gry, a internet stanie się doskonałym źródłem rozrywki:
– Nigdy nie podawaj swojego prawdziwego nazwiska – nie używaj go nawet jako nazwy użytkownika.
– Nigdy nie zdradzaj nikomu żadnych danych osobowych.
– Nigdy nie mów nikomu, ile masz lat ani do której szkoły chodzisz.
– Nigdy nie podawaj nikomu – oprócz rodzica czy opiekuna – swojego hasła.
– Pamiętaj, że aby założyć konto na niektórych stronach, musisz mieć ukończone 13 lat.
Zawsze czytaj regulamin strony, a zanim się zarejestrujesz, zapytaj o zgodę rodzica lub opiekuna.
– Jeśli coś cię zaniepokoi, zawsze informuj rodzica lub opiekuna.
Bądź bezpieczny w sieci. Wszystkie adresy www wymienione w tej książce były aktualne w chwili oddawania jej do druku.

Wydawnictwo HarperCollins nie odpowiada jednak za treści udostępniane przez osoby trzecie. Proszę pamiętać,
że treści online mogą być modyfikowane, a strony internetowe – zawierać treści nieodpowiednie dla dzieci.
Zalecamy, aby dzieci korzystały z internetu pod nadzorem dorosłych.

Wydawnictwo HarperCollins poważnie podchodzi do kwestii świadomości ekologicznej oraz dbałości o środowisko.
Staramy się, by papier, na którym drukowane są nasze książki, pochodził z odpowiedzialnie zarządzanych lasów
i od sprawdzonych dostawców.

MINECRAFT

PODRĘCZNIK PRZETRWANIA

SPIS TREŚCI

WITAJ W OFICJALNYM *PODRĘCZNIKU PRZETRWANIA* MINECRAFTA!

W Minecrafta można grać na wiele sposobów, a jednym z najpopularniejszych jest tryb przetrwania. Mając do dyspozycji jedynie te bloki, które się tu znajdują,, musisz odkryć własną drogę przez świat, tworząc niezbędne narzędzia, by zmierzyć się z niebezpieczeństwami. Jeden fałszywy ruch może oznaczać utratę wszystkiego. To prawdziwie ekscytujące wyzwanie!

Może sięgasz po tę książkę w nadziei, że pomoże ci przetrwać pierwszą noc, albo dopiero zaczynasz swoją podróż i szukasz dobrych rad i wskazówek. A może jesteś już zaprawionym graczem i chcesz się dowiedzieć, co cię czeka po drugiej stronie góry.

Bez względu na to, jak wielkie masz doświadczenie, ten podręcznik zdradzi ci wszelkie tajniki trybu przetrwania niezbędne do odniesienia sukcesu. Dowiesz się, jak korzystać z interfejsu gracza i jak wytwarzać potrzebne narzędzia. Nauczysz się zdobywać pożywienie, warzyć mikstury, zaklinać broń i zbroje, a także jak zaprzyjaźnić się z mieszkańcami wioski i obronić się przed wrogimi mobami.

Na koniec poznasz dziwne i groźne wymiary Netheru i Endu, gdzie wykorzystasz wszystko, czego z tej książki można się było nauczyć, by zostać legendarnym bohaterem!

Ogromny świat pełen przygód czeka!

RUSZAJ W DROGĘ!

ZACZYNAMY!

WERSJE BEDROCK I JAVA

Minecraft dostępny jest w dwóch wersjach: Bedrock Edition i Java Edition. Obydwie oferują taką samą rozgrywkę z niewielkimi różnicami, ale mają oddzielny tryb wieloosobowy.

JAVA EDITION

BEDROCK EDITION

JAKI SPRZĘT WYBRAĆ?

W Minecrafta można grać na wielu urządzeniach: od smartfonów przez konsole po zestawy VR. W zależności od platformy, możesz grać w wersję Bedrock Edition lub Java Edition. Bedrock umożliwia międzyplatformową rozgrywkę na konsolach, urządzeniach mobilnych i systemie Windows. Java to oryginalna wersja Minecrafta z międzyplatformową rozgrywką dostępną na systemach Windows, Linux i macOS.

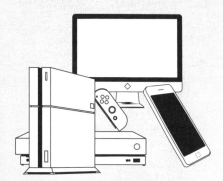

WSKAZÓWKA

Jeśli nie wiesz, którą edycję kupić, zapytaj, w jaką grają twoi znajomi. Wybierz tę samą wersję i ciesz się międzyplatformowym trybem wieloosobowym.

WYBIERZ SERWER

Chcesz dołączyć do znajomych na gotowym serwerze? Kliknij „Tryb wieloosobowy" i dodaj ich serwer. Aby to zrobić, wpisz nazwę i adres serwera, kliknij „Gotowe" i wybierz serwer z menu gry wieloosobowej.

Zanim wyruszysz na przygodę w Świecie Podstawowym, musisz zdecydować, w jakim trybie i na jakim urządzeniu zamierzasz grać. Jeśli chcesz dołączyć do przyjaciół, powinieneś wybrać odpowiednią wersję Minecrafta. Ten podręcznik skupia się na wersji Bedrock, która nieznacznie różni się od wersji Java.

JEDNOOSOBOWY CZY WIELOOSOBOWY

Po wyborze wersji i zainstalowaniu gry czas na wybór przygody. Minecraft pozwala na rozgrywkę w trybie jednoosobowym i wieloosobowym.

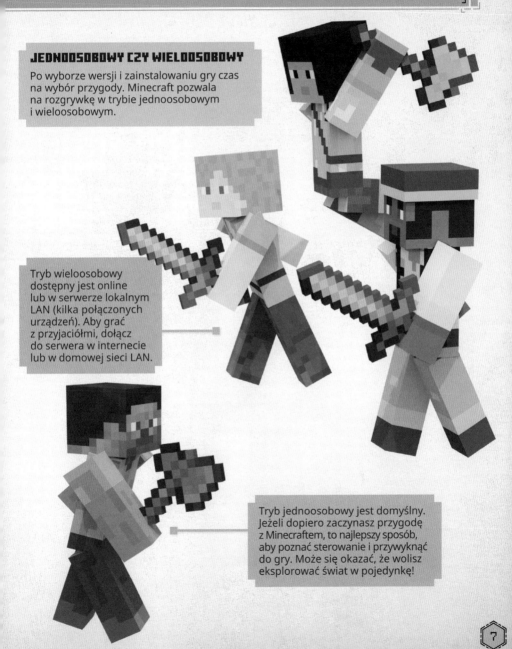

Tryb wieloosobowy dostępny jest online lub w serwerze lokalnym LAN (kilka połączonych urządzeń). Aby grać z przyjaciółmi, dołącz do serwera w internecie lub w domowej sieci LAN.

Tryb jednoosobowy jest domyślny. Jeżeli dopiero zaczynasz przygodę z Minecraftem, to najlepszy sposób, aby poznać sterowanie i przywyknąć do gry. Może się okazać, że wolisz eksplorować świat w pojedynkę!

TRYB PRZETRWANIA

Nieznany teren pełen niebezpiecznych mobów sprawia,
że każdy krok w Świecie Podstawowym w trybie przetrwania
to nie lada wyzwanie. Aby mu sprostać, musisz się przygotować
na każde zagrożenie. Od czego zacząć? W tym dzikim,
zbudowanym z bloków świecie nie ma żadnych ograniczeń.
Sam musisz wybrać własną ścieżkę. Dowiedz się,
jak przeżyć w trybie przetrwania. Zaczynamy!

CZYM JEST TRYB PRZETRWANIA?

PO CO GRAĆ W TRYBIE PRZETRWANIA?

1 EKSPLORUJ
W trybie przetrwania zmierzysz się z żywiołami. Podczas wędrówek odkryjesz wiele sekretów, uważaj jednak na strome klify, jeziora lawy i inne niebezpieczeństwa.

2 WALCZ Z MOBAMI
Wybuchające creepery i strzelające z łuków szkielety stanowią nie lada zagrożenie dla nieuważnych graczy. Jeśli chcesz przeżyć, bądź gotów stawić im czoła lub... wziąć nogi za pas!

3 ZBIERAJ SUROWCE
Musisz zgromadzić potrzebne surowce. Niektóre znajdziesz z łatwością, inne zdobędziesz w trakcie ekscytujących przygód w odległych zakątkach.

4 PRZEŻYJ
Wrogie moby spawnują się każdej nocy, dlatego dobrze jest przygotować wcześniej sprzęt oraz zbudować schronienie.

Aby przeżyć w trybie przetrwania, gracze eksplorują świat, budują schronienia i walczą z mobami. Zaczynasz grę bez niczego i musisz zacząć szybko działać, jeśli chcesz przetrwać pierwszą noc, a także wiele kolejnych. Uważaj! Na każdym kroku czyha niebezpieczeństwo!

RYZYKO I NAGRODA

Rozgrywce w trybie przetrwania towarzyszy dreszczyk emocji. W przeciwieństwie do trybu kreatywnego umrzesz, jeśli stracisz punkty życia. Oczywiście zawsze możesz się odrodzić, ale wtedy utracisz wszystkie przedmioty i punkty doświadczenia.

CYKL DOBOWY

W Minecrafcie czas płynie 72 razy szybciej niż w rzeczywistości – każdy dzień trwa zatem 20 minut. Dzień zaczyna się wschodem, a kończy zachodem słońca. Uważnie śledź zegar, ponieważ wraz z nastaniem nocy w mrocznych zakątkach świata pojawią się groźne moby, a po ciemku trudniej jest zauważyć przeciwników. To najbardziej niebezpieczny czas w grze, tym bardziej że w ciemnościach nic nie rośnie. Najlepiej przespać noc w bezpiecznym miejscu!

ZEGAR W NOCY

ZEGAR W DZIEŃ

WSKAZÓWKA

Noc można przespać w łóżku.

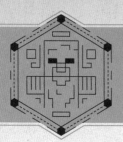

DOSTOSUJ
SWÓJ ŚWIAT

TRYB GRY

Aby w pełni skorzystać z tej książki, wybierz tryb przetrwania. Tryb kreatywny daje nieograniczony dostęp do wszystkich bloków i przedmiotów, w trybie przetrwania sam musisz zebrać surowce i wytworzyć narzędzia. Wersja Java Edition pozwala dodatkowo wybrać tryb Hardcore, w którym nie odrodzisz się po śmierci.

POZIOM TRUDNOŚCI

W Minecrafcie są trzy poziomy trudności poza normalnym: pokojowy, łatwy i trudny. W pokojowym gracze szybko odzyskują zdrowie, większość wrogich mobów się nie spawnuje, a pozostałe nie zadają obrażeń. W łatwym moby zadają mniej obrażeń, wyrządzają mniej szkód i mają mniejszy ekwipunek. W trudnym zadają więcej obrażeń i mogą mieć groźne moce.

WŁĄCZ CHEATY

Ta opcja pozwala korzystać z cheatów, które znacznie ułatwiają grę, ale uniemożliwią zdobywanie postępów. W trybie przetrwania najlepiej jest grać bez cheatów.

PACZKI DANYCH

Paczki danych pozwalają na dostosowanie gry do własnych potrzeb. Za ich pomocą zmienisz tekstury, stworzysz własne postępy i dodasz lub usuniesz nowe elementy. Znajdziesz je w Marketplace.

OPCJE ŚWIATA

Tutaj wybierzesz różne opcje przed wygenerowaniem nowego świata. Możesz dostosować wiele opcji, jak choćby liczba ticków na sekundę albo zachowanie ekwipunku po śmierci.

Zanim stworzysz świat, możesz dostosować go do własnych upodobań. Za pomocą różnych opcji określisz przebieg rozgrywki, wybierzesz rodzaj terenu i generowane struktury. Dzięki temu nowy świat będzie idealnie pasował do twojego stylu gry.

ZIARNO

Każdy świat posiada unikalne ziarno – 19-cyfrowy kod generatora. Możesz stworzyć losowe ziarno albo wpisać gotowy kod, który za każdym razem wygeneruje taką samą mapę. Dzięki temu wielokrotnie odwiedzisz ulubione światy lub przeżyjesz podobne przygody co twoi znajomi!

UKŁADY GENEROWANE

W Minecrafcie jest wiele generowanych automatycznie struktur (zobacz str. 44 i 88). Jeśli chcesz grać w zupełnej dziczy, możesz w opcjach wyłączyć ich powstawanie. Bez nich postęp w grze będzie jednak znacznie ograniczony.

BONUSOWA SKRZYNIA

Wybranie tej opcji sprawi, że po wygenerowaniu nowego świata obok gracza pojawi się skrzynia. Znajdziesz w niej losowe przedmioty przydatne na początku gry.

RODZAJ ŚWIATA

Ta opcja pozwala określić sposób generowania mapy. W wersji Bedrock świat domyślny stworzy zróżnicowany krajobraz o bujnej roślinności, a superpłaski pozwoli uzyskać trawiaste równiny. Gracze edycji Java mogą wybrać świat powiększony z wyższymi górami i trudniejszym terenem.

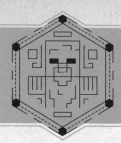

STATYSTYKI GRACZA

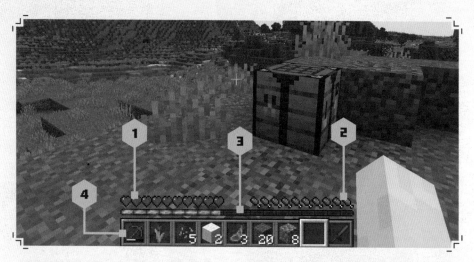

1 PASEK ŻYCIA
Te serduszka reprezentują pasek życia. Możesz mieć maksymalnie 20 punktów życia, a każde serce warte jest 2 punkty. Serduszka tracisz, gdy otrzymujesz obrażenia, a odzyskujesz, gdy pasek głodu jest pełny.

2 PASEK GŁODU
Pasek głodu składa się z dziesięciu udek, każde warte jest 2 punkty. Tracisz je, gdy robisz coś męczącego – biegasz, skaczesz czy kopiesz w ziemi. Pełny pasek głodu pozwala na regenerację punktów życia.

3 PASEK DOŚWIADCZENIA
Doświadczenie (XP) zależy od punktów doświadczenia zdobywanych podczas wydobywania, hodowli zwierząt, handlowania czy walki z mobami. Reprezentuje je zielony pasek. XP pozwala zwiększyć poziom zaawansowania gracza.

4 PASEK SZYBKIEGO WYBORU
Na tym pasku przechowywane są najczęściej używane przedmioty, takie jak broń i narzędzia. Możesz przełączać się pomiędzy nimi bez otwierania ekwipunku. Zawsze warto mieć pod ręką miecz.

WSKAZÓWKA
Na ekranie ekwipunku możesz wybrać, jakie bloki, narzędzia i rodzaje broni pojawią się na pasku szybkiego wyboru. Aby to zrobić, przeciągnij wybrane przedmioty do najniższego rzędu. Dobrze jest trzymać najpotrzebniejsze rzeczy blisko siebie, aby łatwiej było dodać je do paska szybkiego wyboru.

Czas rozpocząć przygodę w Świecie Podstawowym. Naciśnij „Graj" i stwórz swój pierwszy świat. Gdy wejdziesz do gry, pojawisz się w biomie podobnym do tego. Wszystkie informacje niezbędne do przeżycia znajdziesz na pasku gracza. Zobacz, czego można się dzięki nim dowiedzieć.

5 EKWIPUNEK

Ekwipunek składa się z 27 slotów na przedmioty, miejsca dla przedmiotu trzymanego w drugiej ręce i pola wytwarzania o wymiarach 2 x 2. Surowce można grupować po 64 sztuki, ale narzędzi już nie.

6 DRUGA RĘKA

W tym miejscu możesz umieścić dodatkowy przedmiot, taki jak tarcza czy pochodnia. Niektórzy gracze wolą jednak wziąć do drugiej ręki broń, dzięki czemu mogą walczyć dwoma mieczami naraz.

7 ZBROJA

Cztery miejsca przeznaczone na zbroję. Możesz umieścić w nich hełm, napierśnik, nogawice i buty. Każda część zbroi zwiększa twoją odporność na obrażenia.

8 KSIĘGA PRZEPISÓW

To katalog receptur dostępnych w Minecrafcie. Znajdziesz tu wszystko, co możesz stworzyć w grze, wraz z informacją o potrzebnych surowcach. Niektóre receptury wymagają stołu rzemieślniczego.

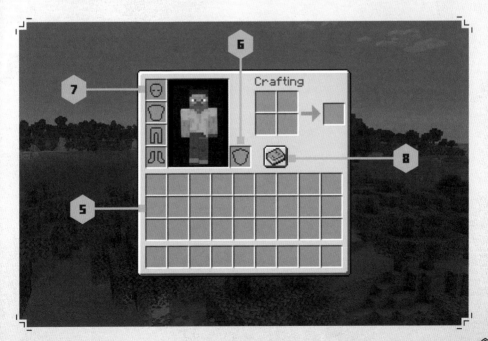

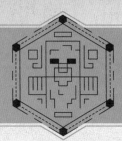

SUROWCE

BLOKI

Bloki to podstawowe jednostki budowlane, które można umieszczać w świecie gry lub wykorzystywać do tworzenia przedmiotów. By zebrać różne bloki, uderz je pięścią lub odpowiednim narzędziem. Musisz zbierać i przetwarzać bloki, aby przetrwać.

Ekwipunek

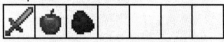

PRZEDMIOTY

Przedmioty, takie jak jedzenie i surowce, można umieścić w ekwipunku gracza. W przeciwieństwie do bloków nie można postawić ich w świecie gry. Wykorzystywane są w różnych czynnościach i przepisach.

NARZĘDZIA

Do każdego zadania w Minecrafcie jest odpowiednie narzędzie. Wiele bloków można zbierać rękami, ale kilofy lub łopaty znacznie przyspieszą ten proces. Krzesiwo pozwoli podpalić niektóre bloki, kompas ułatwi orientację w terenie, a dzięki broni pokonasz moby (patrz str. 18).

Jeśli rozejrzysz się dookoła, zobaczysz, że świat Minecrafta składa się z bloków. To są właśnie te surowce, które pomogą ci przetrwać — wykorzystasz je zarówno do budowania, jak i do walki. Z niektórych bloków, podobnie jak z mobów, wypadają przedmioty, z których zrobisz narzędzia. Im dłużej grasz, tym więcej bloków odkryjesz!

WYKORZYSTYWANIE SUROWCÓW

Po rozpoczęciu gry znajdziesz drzewa, z których pozyskasz pnie, jaskinie pełne złóż węgla i rud, a także nasiona, z których wyrośnie pszenica. Aby w pełni wykorzystać te surowce, musisz najpierw zajrzeć do księgi przepisów i przygotować odpowiednie narzędzia.

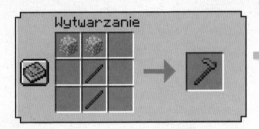

WYTWARZANIE

W ekwipunku możesz tworzyć przedmioty z czterech składników. Jeśli chcesz wykorzystać bardziej skomplikowane receptury, będziesz potrzebować stołu rzemieślniczego, który pozwala na użycie dziewięciu składników. W księdze przepisów znajdziesz potrzebne informacje.

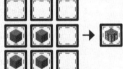

Stół rzemieślniczy

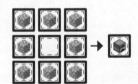

Piec

WSKAZÓWKA

W piecu można palić łatwopalnymi surowcami, takimi jak węgiel i pnie. Można także użyć drewnianych bloków, jak schodów czy półbloków.

PIEC

W piecu ugotujesz jedzenie lub stopisz bloki rud, z których uzyskasz wiele przydatnych przedmiotów, takich jak sztabki żelaza, szkło czy netherowe cegły. Nie zapomnij jednak dodać paliwa!

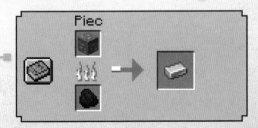

Piec

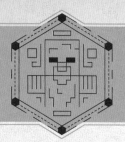

ODPOWIEDNIE NARZĘDZIA

SIŁA ATAKU I WYTRZYMAŁOŚĆ

Narzędzia można wykonać z drewna, kamienia, żelaza, złota, diamentu i netherytu. Im lepszy materiał, tym szybciej zbierzesz surowce i tym wytrzymalsze będzie narzędzie. Rzadkie surowce zbierzesz tylko najlepszymi narzędziami.

KILOF

RODZAJE	⛏	⛏	⛏	⛏	⛏	⛏
SIŁA ATAKU	1	3	4	2	5	6
WYTRZYMAŁOŚĆ	60	132	251	33	1562	2032

Kilof będzie prawdopodobnie pierwszym narzędziem, które zrobisz w Minecrafcie, a także tym, którego będziesz używać najczęściej. Służy on do pozyskiwania rud, kamieni i metali. Do zbierania niektórych bloków potrzebne są kilofy wykonane ze specjalnych materiałów – jeśli użyjesz słabszego, blok zniknie i nic z niego nie wypadnie.

SIEKIERA

RODZAJE	🪓	🪓	🪓	🪓	🪓	🪓
SIŁA ATAKU	3	4	5	3	6	7
WYTRZYMAŁOŚĆ	60	132	251	33	1562	2032

Jeśli chcesz ściąć drzewo lub szybko zebrać drewniane bloki, potrzebujesz siekiery. W razie potrzeby posłuży ona także jako broń! Chociaż nie jest równie silna co miecz, możesz wykorzystać ją do walki z mobami.

MIECZ

RODZAJE	🗡	🗡	🗡	🗡	🗡	🗡
SIŁA ATAKU	4	5	6	4	7	8
WYTRZYMAŁOŚĆ	60	132	251	33	1562	2032

Miecz to podstawowa broń do walki wręcz. Przyda się głównie, gdy będziesz musiał poradzić sobie z niebezpiecznymi mobami, ale możesz też zbierać nim niektóre surowce, jak bambus czy pajęczyny.

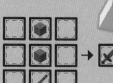

Bez względu na to, czy uprawiasz zboże, ścinasz drzewa, czy wydobywasz diamenty, gromadzenie surowców stanowi ważną część gry. W tym celu jednak potrzebujesz konkretnych narzędzi. Odpowiednie narzędzia pozwolą szybciej zbierać surowce, a niewłaściwe tylko zniszczą bloki.

MOTYKA

RODZAJE	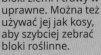					
SIŁA ATAKU	2	3	4	2	5	6
WYTRZYMAŁOŚĆ	60	132	251	33	1562	2032

Motyka to prawdziwy przyjaciel amatorów ogrodnictwa. Dzięki niej zamienisz bloki ziemi i trawy w pole uprawne. Można też używać jej jak kosy, aby szybciej zebrać bloki roślinne.

ŁOPATA

RODZAJE						
SIŁA ATAKU	1	2	3	1	4	5
WYTRZYMAŁOŚĆ	60	132	251	33	1562	2032

Łopata pomoże ci szybko i sprawnie usunąć ziemię, piasek i inne miękkie bloki. Można też gasić nią ogniska i zamienić bloki ziemi w ścieżkę.

NOŻYCE

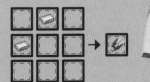

Jeśli chcesz ostrzyc owcę, potrzebujesz nożyc. W mig uporasz się z tym zadaniem, a w nagrodę otrzymasz wełnę. Nożyce mają także wiele innych zastosowań, jak zbieranie nasion czy usuwanie pajęczyn.

KRZESIWO

Krzesiwo służy do rozpalania ognia – zapalisz nim zgaszone ogniska i świeczki, a także aktywujesz portale Netheru. Możesz też podpalić nim wybuchowy blok TNT – tylko przypadkiem nie wysadź się w powietrze!

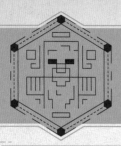

W KOPALNI

RADY DLA GÓRNIKÓW

Poszukiwanie złóż nie zależy tylko od ślepego trafu – dzięki tym poradom znacznie zwiększysz swoje szanse.

OŚWIETLENIE

Pod ziemią jest bardzo ciemno, weź więc ze sobą pochodnie, aby oświetlić otoczenie. Kiedy nie widzisz bloków, nie wiesz, co wydobywasz! Światło powstrzyma też moby przed spawnowaniem.

NASŁUCHIWANIE

Zwiększ głośność dźwięku i wsłuchaj się uważnie – czy słyszysz kapanie wody lub jęki zombie? Odgłosy otoczenia pomogą ci odkryć jaskinie warte dokładniejszego zbadania. Lub potwory, których lepiej unikać!

WSKAZÓWKA

Włącz napisy, aby zobaczyć, skąd dochodzą dźwięki.

LOKALIZACJA

Jeśli chcesz znaleźć konkretne bloki, musisz szukać ich we właściwych miejscach. Chociaż świat Minecrafta pełen jest najróżniejszych bloków, niektóre z nich występują tylko w pewnych biomach. Na przykład złoto najczęściej znajdziesz w badlandach. Więcej o biomach przeczytasz na str. 38–45.

Jednym z podstawowych elementów rozgrywki w trybie przetrwania jest wydobywanie surowców. Bez względu na to, co robisz i dokąd zmierzasz, prędzej czy później musisz zacząć kopać w ziemi. Na szczęście górnictwo w Minecrafcie to świetna zabawa, gdy wiesz, jak się do niego zabrać!

JAK KOPAĆ

Dobrze się przygotuj. Zanim wyruszysz na górniczą ekspedycję, zgromadź niezbędne zapasy – kilof, łopatę, pochodnie i trochę jedzenia. Następnie wybierz odpowiednią strategię, aby w jak najkrótszym czasie wydobyć jak najwięcej złóż.

SZTOLNIE

Bardzo popularną strategią jest kopanie sztolni. To najprostszy sposób wydobywania surowców w Minecrafcie. Chwyć za kilof i zrób dziurę w ziemi. Następnie wykop serię rozgałęziających się tuneli – w ten sposób łatwiej pokryjesz większy teren.

ZALETY
- Można robić to wszędzie.
- Daje dużo surowców.

WADY
- Trudno znaleźć konkretne surowce.
- Wymaga dużo pracy, więc szybciej zużyjesz narzędzia.

KOPANIE W JASKINIACH

Wielu graczy lubi kopać w jaskiniach. Poszukaj wejścia do jaskini i zejdź pod ziemię. W głębokich podziemnych grotach bez problemu znajdziesz wiele cennych surowców do wydobycia.

ZALETY
- Narzędzia starczają. na dłużej.
- Łatwiej znaleźć surowce.

WADY
- Łatwiej się zgubić.
- Wrogie moby.

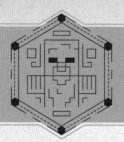

COŚ NA ZĄB

GŁÓD

Poziom głodu jest równie ważny co punkty życia, ponieważ wpływa na statystyki i umiejętności gracza. Reprezentuje go pasek głodu – im niższy, tym wolniej się poruszasz. Jeśli spadnie do zera, zaczniesz tracić życie i nie będziesz mógł spać.

20 PUNKTÓW GŁODU
Natychmiast odzyskujesz 2 punkty życia po odniesieniu obrażeń.

6-17 PUNKTÓW GŁODU
Nie tracisz ani nie zyskujesz punktów życia.

<6 PUNKTÓW GŁODU
Nie możesz już biegać.

>18 PUNKTÓW GŁODU
Powoli odzyskujesz utracone punkty życia.

0 PUNKTÓW GŁODU
Powoli tracisz punkty życia.

W trybie przetrwania musisz uważać na paski życia i głodu. Jeśli któryś z nich będzie zbyt krótki, znacznie trudniej będzie ci utrzymać się przy życiu! Każde działanie skraca pasek jedzenia, na szczęście wystarczy coś przekąsić, aby go uzupełnić.

Z jedzeniem związane są dwie statystyki: głód i sytość. Obie reprezentuje pasek jedzenia. Im wyższy poziom sytości, tym wolniej postępuje głód. Na sytość najlepiej wpływają kawałki arbuza, marchewki — szczególnie złote — befsztyki i pieczony schab. Poziom sytości zależy od tego, co zjadłeś jako ostatnie. Pamiętaj, aby dobrze się odżywiać!

By pasek głodu zawsze był pełny, dobrze jest mieć jak najlepsze pożywienie. Niestety, znalezienie niektórych rodzajów pokarmu może być trudne – a nawet niebezpieczne. Kiedyś zdołasz zebrać je wszystkie, ale na początku lepiej skupić się na czymś łatwiejszym. Może spróbujesz tych smakołyków?

BURAK
Przy odrobinie szczęścia natkniesz się na rośliny, takie jak buraki, które możesz zasadzić, wyhodować i zjeść.

CHLEB
Z 3 kawałków pszenicy umieszczonych na stole rzemieślniczym zrobisz chleb. Jest on bardzo wydajny i łatwy w produkcji.

SŁODKIE JAGODY
Zbierzesz je z krzaków słodkich jagód, które rosną w tajdze. Uważaj na cierniste kolce!

PIECZONY ZIEMNIAK
Pieczone ziemniaki są bardzo sycące. Zrobisz je w piecu, piecu hutniczym lub na ognisku.

SUROWA WOŁOWINA
Mięso można uzyskać ze zwierząt hodowlanych. Z krów wypada wołowina, którą zjesz od razu lub po ugotowaniu.

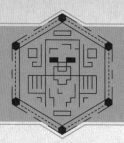

COŚ NA ZĄB

PODSTAWOWE JEDZENIE

Większość rodzajów pokarmu, jak ryby, mięso i warzywa, można zjeść od razu, aby uzupełnić pasek głodu. Chociaż ich wartości odżywcze są różne, takie podstawowe posiłki wystarczą, by utrzymać cię w pełni sił.

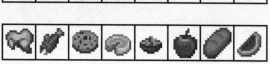

PRZEPISY

Nie każde jedzenie można zjeść na surowo. Niektóre produkty zaspokajają apetyt w niewielkim stopniu, ale po połączeniu z innymi będą bardziej skuteczne. Dania przygotowane według przepisów mają wiele przydatnych zastosowań – ciasto nada się na przyjęcie urodzinowe, a butelka miodu wyleczy truciznę. Takie potrawy są też bardziej odżywcze, ale wymagają wielu składników. Jeśli masz farmę (str. 26–29), możesz uzyskać większość z nich. Minecraft pełen jest smakowitych przepisów!

Przepis na ciasto

Przepis na złote jabłko

Przepis na ciastko

W trakcie przygód odkryjesz różne źródła pożywienia. Niektóre pokarmy można zjeść od razu, inne trzeba najpierw przygotować. Wytwarzane przez ciebie dania mogą mieć nawet magiczne właściwości! Zawsze zwracaj uwagę na jadalne przedmioty w grze, bo odpowiednia potrawa może ocalić ci życie!

LEKI I TRUCIZNY

Uważaj na to, co jesz – i nie chodzi o to, ile ciasteczek spałaszujesz przed obiadem! Niektóre pokarmy mają działanie, które może być korzystne lub szkodliwe dla gracza. Na przykład zgniłe mięso cię zatruje, a mleko usunie wszelkie efekty, także te pozytywne!

MAGICZNE WŁAŚCIWOŚCI

Niektóre pokarmy, jak owoc refrenusu, mają magiczne właściwości. Jeśli zjesz taki owoc, teleportujesz się w losowe miejsce. Może to być bardzo pomocne podczas upadku, bo przeniesiesz się bezpiecznie na ziemię i unikniesz obrażeń.

EFEKTY

Dowiedz się, jakie efekty mogą wystąpić po zjedzeniu różnych pokarmów.

ODTRUTKA	Leczy Truciznę.	ZATRUCIE	Co jakiś czas zadaje obrażenia (nie może zabić).
ABSORPCJA	Dodatkowe serduszka na pasku życia.	REGENERACJA	Odnawia punkty życia przez jakiś czas.
OŚLEPIENIE	Osłabia wzrok gracza.	ODPORNOŚĆ	Redukuje obrażenia.
ODPORNOŚĆ NA OGIEŃ	Redukuje większość obrażeń od ognia.	TELEPORTACJA	Teleportuje na pobliski blok.
GŁÓD	Pasek głodu znika szybciej.	SŁABOŚĆ	Zmniejsza siłę ataku.
ZWIĘKSZONY SKOK	Czasowo zwiększa wysokość skoku.	OBUMARCIE	Co jakiś czas zadaje obrażenia (może zabić).
MDŁOŚCI	Powoduje falowanie ekranu.	SYTOŚĆ	Odnawia pasek głodu i zmniejsza głód.
NOKTOWIZJA	Zwiększa widoczność w ciemnościach i pod wodą.		

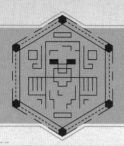

NA FARMIE:
ROŚLINY

UPRAWA ROŚLIN

Uprawa roślin to najprostszy sposób na zdobywanie pożywienia. W Minecrafcie możesz sadzić różne rośliny: od pszenicy i buraków po marchewki i ziemniaki. Można siać nasiona albo sadzić warzywa. Oto kilka przydatnych przepisów.

CHLEB

Pszenicy nie można jeść na surowo. Aby zrobić pyszny chleb, umieść 3 sztuki pszenicy na stole rzemieślniczym.

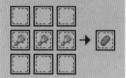

ROŚLINA	SADZENIE	JEDZENIE
PSZENICA	NASIONA PSZENICY	🍞 5
BURAK	NASIONA BURAKA	🥬 1 | 🥣 6
MARCHEWKA	MARCHEWKI	🥕 3 | 🥕 6
ZIEMNIAK	ZIEMNIAKI	🥔 1 | 🥔 5
ARBUZ	NASIONA ARBUZA	🍉 2
DYNIA	NASIONA DYNI	🎃 8

BARSZCZ

Zrób miskę z desek i dodaj buraki, aby otrzymać barszcz.

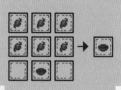

PLACEK DYNIOWY

Jeśli masz jajka i cukier, możesz zrobić placek dyniowy!

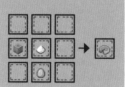

ZŁOTA MARCHEWKA

Złote marchewki można zjeść lub wykorzystać w przepisach. Zrobisz je z marchewki i 8 samorodków.

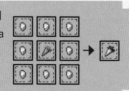

Jedzenie jest niezbędne do przetrwania w Minecrafcie, więc dobrze jest mieć do niego stały dostęp. Własna farma to idealny sposób na zaopatrzenie spiżarni. Możesz uprawiać rośliny lub hodować moby – albo jedno i drugie! – a z czasem zautomatyzujesz cały proces.

JAK UPRAWIAĆ ROŚLINY

Zanim zaczniesz uprawiać rośliny, musisz przygotować pole. By rośliny bujnie rosły, potrzeba trzech rzeczy: ziemi uprawnej, wody i światła. Przykładowa farma poniżej zawiera wszystko, co niezbędne, aby rozpocząć uprawę.

ŚWIATŁO

Rośliny potrzebują światła, aby rosnąć. W ciągu dnia twoje uprawy będą wzrastać dzięki słońcu, ale światło pochodni sprawi, że urosną także nocą.

POLE UPRAWNE

Nasiona można zasadzić tylko na polach uprawnych. Aby je przygotować, weź motykę i użyj jej na bloku ziemi lub trawy. Gdy pole będzie gotowe, zasadź nasiona i obserwuj, jak wyrastają z nich młode rośliny.

ŹRÓDŁO WODY

By umieścić na polu uprawnym źródło wody, wylej na środku wodę z wiadra. W ten sposób rośliny będą odpowiednio nawodnione.

ZBIERANIE PLONÓW

Gdy rośliny urosną, kliknij je, aby zebrać plony. Niektóre rośliny można jeść na surowo, podczas gdy inne, takie jak pszenicę, trzeba najpierw przetworzyć w pyszne potrawy.

WSKAZÓWKA

Czy wiesz, że mączka kostna przyspiesza wzrost roślin? Zamień kości w mączkę i posyp nią nasiona, by szybciej uzyskać plony.

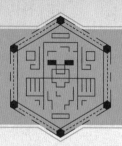

NA FARMIE:
ZWIERZĘTA

ZBIERANIE MIĘSA

Mięso w grze wypada z pokonanych mobów, które znajdziesz wszędzie w Świecie Podstawowym. Jeśli jednak nie chcesz tracić czasu na poszukiwania i wolisz mieć stały dostęp do mięsa, najlepiej jest założyć farmę mobów.

WSKAZÓWKA

Jeśli pokonasz moba łukiem lub mieczem, zaklętymi ognistymi zaklęciami, od razu otrzymasz upieczone mięso!

ROZMNAŻANIE MOBÓW

Aby rozpocząć hodowlę mobów, znajdź dwa dorosłe osobniki i nakarm je ich ulubionym jedzeniem – dzięki temu zaczną się rozmnażać. Powtarzaj ten proces, aż otrzymasz pokaźne stado. Moby rozmnażają się co pięć minut, musisz więc uzbroić się w cierpliwość!

WSKAZÓWKA

Żadne przedmioty nie wypadają z młodych mobów. Potrzebują one 20 minut, żeby dorosnąć. Nakarm je, aby rosły szybciej.

Hodowla mobów zapewni ci bardziej pożywne źródło jedzenia, ale wymaga więcej pracy od uprawy roślin. Zanim zaczniesz pozyskiwać mięso, musisz wyhodować wystarczająco dużo zwierząt, aby później ich nie zabrakło. Farma mobów dostarczy też przydatne składniki do wytwarzania przedmiotów.

PIECZENIE

Chociaż różne rodzaje mięsa można jeść na surowo, najlepiej jest je upiec, ponieważ zwiększy to liczbę odzyskiwanych punktów życia i głodu. Mięso upieczesz w piecu, ognisku lub wędzarce. Wędzarki pieką dwa razy szybciej niż piec, ale dają tylko połowę punktów doświadczenia. Ogniska pieką cztery przedmioty naraz i nie wymagają paliwa.

ZUPY

Zupy, gulasze i potrawki są pożywniejsze od samego mięsa, ale wymagają więcej składników. Zrób miskę z 3 desek i wypróbuj te dwa przepisy:

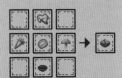

Gulasz z królika

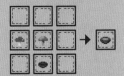

Zupa grzybowa

Jeśli dodasz do zupy grzybowej kwiat, otrzymasz podejrzaną potrawkę, która może wywołać losowy efekt!

MOB	ROZMNAŻANIE PRZEZ	CO WYPADA
KURCZAK	NASIONA PSZENICY / NASIONA ARBUZA / NASIONA BURAKA / NASIONA DYNI	2 / 6 — *Surowy kurczak może zatruć i wywołać głód.*
OWCA	PSZENICA	2 / 6
KRÓLIK	MARCHEWKA / ZŁOTA MARCHEWKA / MLECZ	3 / 5
ŚWINIA	MARCHEWKA / ZIEMNIAK / BURAK	3 / 8
HOGLIN	SZKARŁATNE GRZYBY	3 / 8
KROWA	PSZENICA	3 / 8

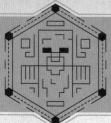

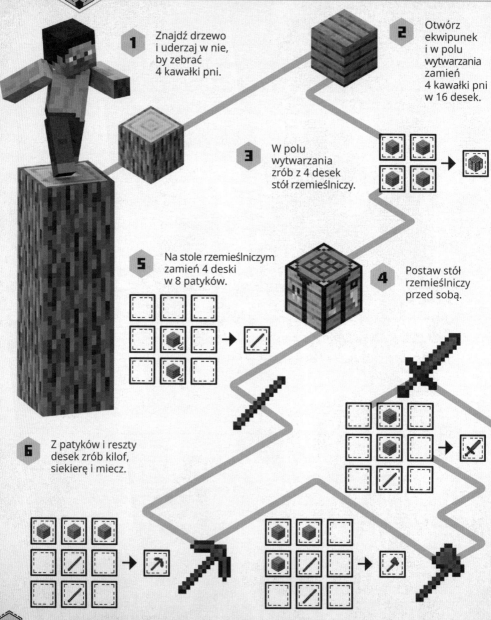

1 Znajdź drzewo i uderzaj w nie, by zebrać 4 kawałki pni.

2 Otwórz ekwipunek i w polu wytwarzania zamień 4 kawałki pni w 16 desek.

3 W polu wytwarzania zrób z 4 desek stół rzemieślniczy.

5 Na stole rzemieślniczym zamień 4 deski w 8 patyków.

4 Postaw stół rzemieślniczy przed sobą.

6 Z patyków i reszty desek zrób kilof, siekierę i miecz.

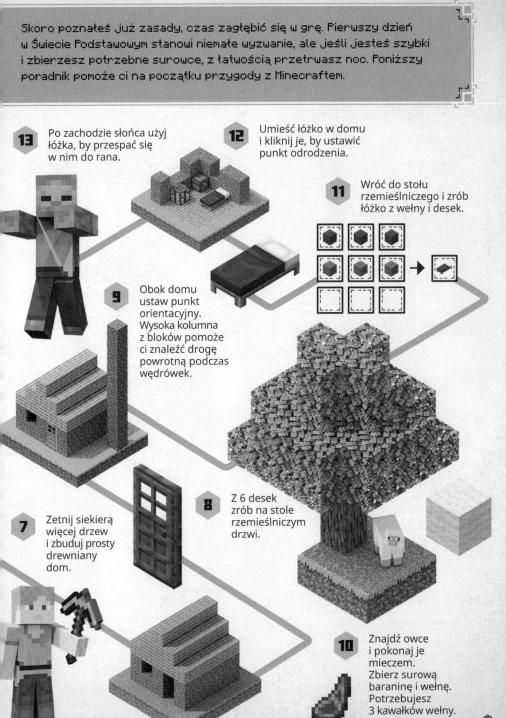

Skoro poznałeś już zasady, czas zagłębić się w grę. Pierwszy dzień w Świecie Podstawowym stanowi niemałe wyzwanie, ale jeśli jesteś szybki i zbierzesz potrzebne surowce, z łatwością przetrwasz noc. Poniższy poradnik pomoże ci na początku przygody z Minecraftem.

13 Po zachodzie słońca użyj łóżka, by przespać się w nim do rana.

12 Umieść łóżko w domu i kliknij je, by ustawić punkt odrodzenia.

11 Wróć do stołu rzemieślniczego i zrób łóżko z wełny i desek.

9 Obok domu ustaw punkt orientacyjny. Wysoka kolumna z bloków pomoże ci znaleźć drogę powrotną podczas wędrówek.

8 Z 6 desek zrób na stole rzemieślniczym drzwi.

7 Zetnij siekierą więcej drzew i zbuduj prosty drewniany dom.

10 Znajdź owce i pokonaj je mieczem. Zbierz surową baraninę i wełnę. Potrzebujesz 3 kawałków wełny.

31

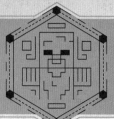

DZIEŃ DRUGI

1 Znajdź najbliższe wzgórze. Za pomocą kilofa zbierz dużo bruku i trochę węgla.

2 Na stole rzemieślniczym zrób piec i kamienne narzędzia.

3 Postaw piec i upiecz w nim baraninę. Potrzebujesz do tego paliwa, jak pnie (mogą być nawet drewniane narzędzia), węgiel drzewny lub kamienny.

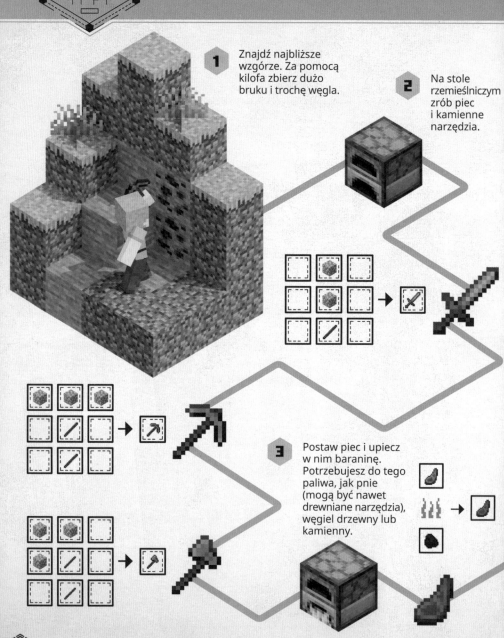

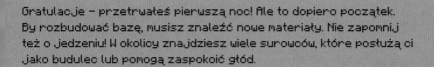

Gratulacje – przetrwałeś pierwszą noc! Ale to dopiero początek. By rozbudować bazę, musisz znaleźć nowe materiały. Nie zapomnij też o jedzeniu! W okolicy znajdziesz wiele surowców, które posłużą ci jako budulec lub pomogą zaspokoić głód.

8 Znajdź jaskinię i zejdź pod ziemię, aby znaleźć żelazo. Oświetlaj tunele pochodniami, a rudę żelaza wykop kamiennym kilofem.

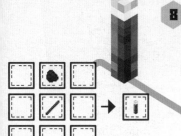

7 Zrób pochodnię z patyka i kawałka węgla. Jeśli nie znalazłeś węgla kamiennego, w piecu uzyskasz z pni węgiel drzewny.

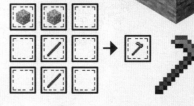

6 Znajdź najbliższe źródło wody i za pomocą motyki przygotuj dookoła ziemię uprawną. Posadź nasiona.

4 Zjedz upieczone mięso, aby zaspokoić głód.

5 Poszukaj w okolicy przydatnych surowców. Zbierz wszystkie nasiona i warzywa, by założyć farmę.

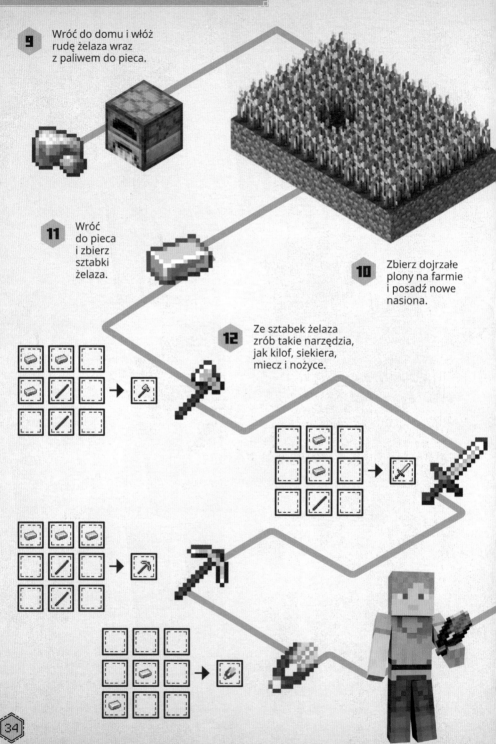

9 Wróć do domu i włóż rudę żelaza wraz z paliwem do pieca.

11 Wróć do pieca i zbierz sztabki żelaza.

10 Zbierz dojrzałe plony na farmie i posadź nowe nasiona.

12 Ze sztabek żelaza zrób takie narzędzia, jak kilof, siekiera, miecz i nożyce.

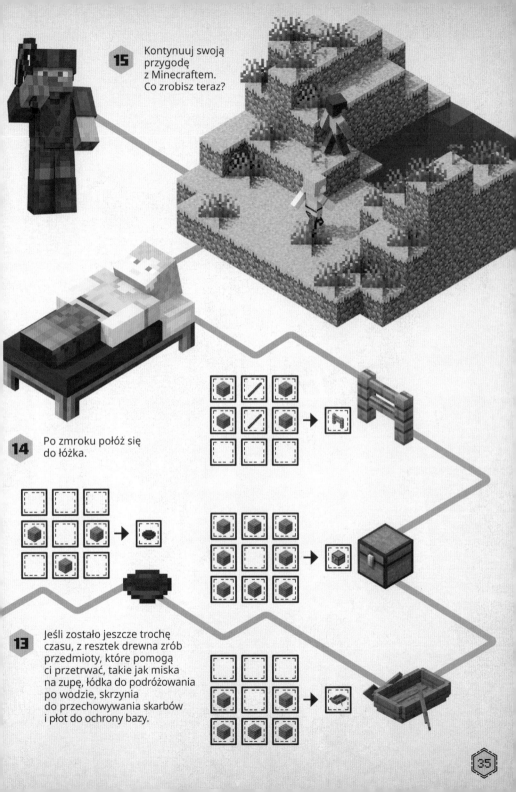

15 Kontynuuj swoją przygodę z Minecraftem. Co zrobisz teraz?

14 Po zmroku połóż się do łóżka.

13 Jeśli zostało jeszcze trochę czasu, z resztek drewna zrób przedmioty, które pomogą ci przetrwać, takie jak miska na zupę, łódka do podróżowania po wodzie, skrzynia do przechowywania skarbów i płot do ochrony bazy.

GRAMY!

Teraz, gdy masz już własny świat, nadszedł czas, aby głębiej
się w niego zanurzyć. Fascynujące krainy Minecrafta czekają
na odkrycie i tylko od ciebie zależy, od czego zaczniesz.
W tej części podręcznika przyjrzymy się dokładniej temu,
co świat bloków ma do zaoferowania – od różnych biomów,
przez generowane struktury, aż po alchemię i zaklinanie.
Jesteś gotowy na przygodę?

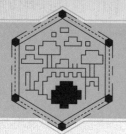

BIOMY:
ŚWIAT PODSTAWOWY

PRZENIKANIE

Na granicach biomów różne rodzaje terenu przenikają się, tworząc wyjątkowe krajobrazy.

PUSTYNIA

Przetrwanie w tym ciepłym, piaszczystym biomie, porośniętym jedynie kaktusami i uschniętymi krzewami, to spore wyzwanie. Jak można się domyślać, zbiorniki wodne występują tu niezwykle rzadko i prędzej natkniesz się na jezioro lawy niż wody.

DŻUNGLA

Dżungle, choć rzadkie, obfitują w bujną roślinność i dzikie zwierzęta. Biom ten pokrywa baldachim drzew, wśród których znaleźć można olbrzymie drzewa tropikalne o pniach wielkości 2 x 2 bloki, a wysokości nawet 31 bloków. W takiej gęstwinie trudno jest budować.

Po rozpoczęciu gry swoją przygodę zaczniesz w krainie zwanej Światem Podstawowym. Na odkrycie czekają tu pod błękitnym niebem bogate biomy, pełne zróżnicowanych krajobrazów, bujnej roślinności i wszelkiej maści mobów. Przyjrzyjmy się biomom, które napotkasz podczas wędrówek.

LAS

Las to bardzo popularne miejsce do rozpoczęcia przygody w trybie przetrwania, ponieważ pełno w nim dębów i brzóz, a także kwiatów oraz różnych mobów. Jest to również jeden z najczęściej występujących biomów.

SAWANNA

Sawanna jest ciepłym i płaskim biomem, w którym nigdy nie pada, a to oznacza, że nie musisz się martwić o błyskawice – chociaż na niebie zobaczysz chmury. To świetne miejsce, jeśli szukasz drzew akacji lub chcesz oswoić konie i lamy.

RÓWNINY

Najpopularniejszy biom na początek rozgrywki w trybie przetrwania to równiny. Pełno tu zwierzyny łownej, a duże, otwarte przestrzenie świetnie nadają się do budowania. Na równinach o wiele łatwiej jest też wypatrzeć pobliskie wioski.

TUNDRA

W zimnej, pełnej śniegu tundrze
nie jest łatwo przeżyć, ponieważ
występuje tu o wiele mniej drzew
i mobów niż w innych biomach.
Duże, otwarte przestrzenie są
jednak idealne do budowania.

BADLANDY

Badlandy, znane też jako mesa,
to dość rzadki, ciepły biom, zbudowany
z czerwonego piasku, terakotowych
wzgórz i gór. Znalezienie ich nie jest
proste, ale jeśli tu dotrzesz, czekają cię
o wiele bogatsze złoża złota niż gdzie
indziej. Podobnie do pustyni badlandy
są wyjątkowo jałowe – rosną tu tylko
kaktusy i uschnięte krzewy.

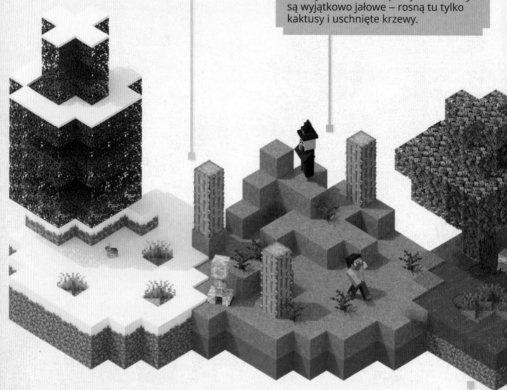

BAGNO

Ten płaski, podmokły biom zamieszkują żaby.
W płytkich, mętnych wodach moczarów spawnują
się szlamy – najczęściej podczas pełni księżyca.

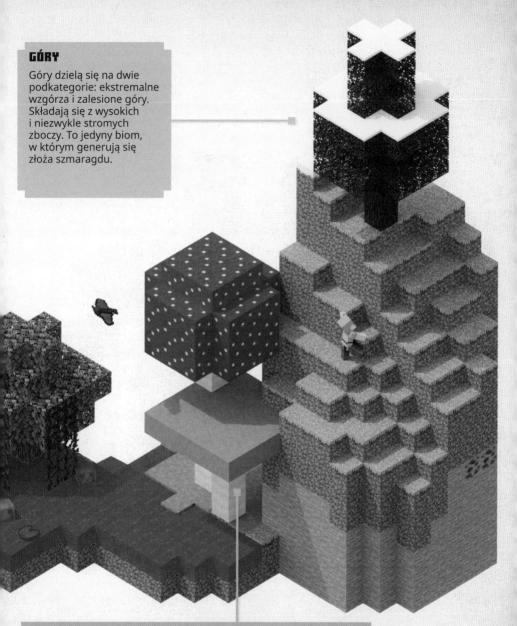

GÓRY

Góry dzielą się na dwie podkategorie: ekstremalne wzgórza i zalesione góry. Składają się z wysokich i niezwykle stromych zboczy. To jedyny biom, w którym generują się złoża szmaragdu.

GRZYBOWE POLA

Prawdopodobnie najrzadszy i najdziwniejszy z biomów Świata Podstawowego. Grzybowe pola zazwyczaj generują się pod postacią wysp. Zamiast trawy i drzew znajdziesz tu rozmaite grzyby, od borowików po wielkie grzyby. Mieszkają tu grzybowe krowy – kuzynki zwykłych krów.

TAJGA

Tajga przypomina trochę las, ale jest o wiele chłodniejsza, ma niebieskawy odcień, ciemniejsze wody, a porastają ją paprocie i świerki. Znajdziesz tu niewielkie ilości dyń, krzaki słodkich jagód i lisy.

PLAŻA

Tam, gdzie ocean styka się z lądem, powstaje plaża. W zależności od temperatury i wysokości biomu ma ona trzy rodzaje: piaszczysta plaża, kamienny brzeg lub ośnieżona plaża. Pod piaskiem generują się zakopane skarby, często można tu również znaleźć złoża miedzi.

RZEKI

Wąskie, długie i kręte rzeki generują się między biomami i tworzą zamknięte pętle albo spływają do oceanu. Znajdziesz w nich mnóstwo wody, piasku, żwiru i gliny, dlatego warto odwiedzić je na początku przygody w trybie przetrwania.

OCEAN

Tak jak w prawdziwym świecie, większą część Świata Podstawowego stanowi ocean – prawie jedną trzecią! Ten ogromny biom rozciąga się aż po oceaniczne dno. Przetrwanie jest tu możliwe, ale trudne. Ryby i wodorosty dostarczą pożywienia, a podwodne wąwozy – budulca.

RZADKI WARIANT

Podczas podróży możesz natknąć się na pole lodowych kolców. To rzadka odmiana śniegowych równin, gdzie znaleźć można ogromne kolce ze zbitego lodu. Drzewa i budynki nigdy się tu nie generują, przez co jest to jeden z mniej przyjaznych biomów Świata Podstawowego.

TUNDRA

Pokryte śniegiem równiny to biom, w którym przetrwanie stanowi nie lada wyzwanie. Nieostrożni wędrowcy mogą wpaść w pułapki z sypkiego śniegu, a niebieski lód znacznie utrudnia podróż. Żyje tu niewiele mobów, a uprawianie roślin jest niezwykle trudne, ponieważ źródła wody szybko zamarzają.

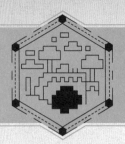

STRUKTURY GENEROWANE:
ŚWIAT PODSTAWOWY

WIOSKA

W Świecie Podstawowym znajdziesz wioski zamieszkane przez osadników. Społeczności te występują w większości biomów. Możesz w nich handlować, aby wymienić surowce na bloki i przedmioty.

PIRAMIDA

Te wielkie budowle z piaskowca generują się na pustyni. Rozejrzyj się w środku, a znajdziesz ukrytą komnatę z czterema skrzyniami. Uwaga – strzeże ich pułapka z TNT!

DŻUNGLOWA ŚWIĄTYNIA

Porośnięta mchem i pnączami budowla ukryta jest w dżungli. W środku jest łamigłówka z mechanizmem czerwonego kamienia. Rozwiąż ją, by zdobyć dwie skrzynie ze skarbem.

44

Wędrując przez biomy, natkniesz się na układy generowane, do których zaliczają się różne budowle zazwyczaj zamieszkane przez moby. Inne struktury znajdziesz na powierzchni, inne pod ziemią, a jeszcze inne w głębinach oceanu. W środku zdobędziesz cenne skarby – uważaj jednak na pułapki!

LEŚNY DWÓR

W tej wielkiej, wielopiętrowej budowli z ciemnego dębu odkryjesz wiele komnat pełnych skarbów. Trafisz tutaj za pomocą mapy eksploracyjnej. Uważaj na obrońców i przywoływaczy!

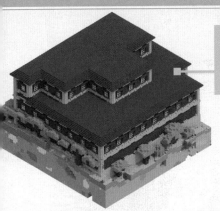

POSTERUNEK ZŁOSADNICZY

Podczas wędrówek wypatruj posterunków – chociaż strzegą ich uzbrojeni w kusze złosadnicy, znajdziesz w nich zamknięte w klatkach żelazne golemy i otuszki, a także skarby!

TWIERDZA

Pogrzebane głęboko pod ziemią twierdze z kamiennej cegły przypominają labirynt. W środku jest wiele komnat czekających na odkrycie, a w jednej z nich natkniesz się na nieaktywny portal. Napraw go, by dostać się do Endu.

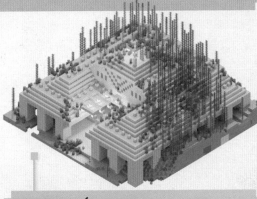

PODWODNA ŚWIĄTYNIA

Ogromna budowla z pryzmarynu ukryta jest w głębinach oceanu. Przed niechcianymi gośćmi strzegą jej strażnicy i starsi strażnicy. Jeśli nie boisz się stawić im czoła, znajdziesz w środku komnatę z 8 blokami złota i kilkoma gąbkami (które są idealne do usuwania wody).

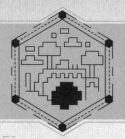

NAPOTKANE MOBY:
ŚWIAT PODSTAWOWY

SPOTKANIA Z MOBAMI

Bez względu na to, jaki masz styl gry, interakcje z mobami w trybie przetrwania będą bardzo korzystne. Warto jest poznać innych mieszkańców świata Minecrafta, niezależnie od tego, czy są przyjaźnie, czy też wrogo nastawieni.

SPAWNOWANIE

W Świecie Podstawowym moby spawnują się (czyli generują) w zależności od poziomu światła. Neutralne i pasywne (przyjazne) moby pojawiają się zazwyczaj w jasnych miejscach, a wrogie – w ciemnych.

DOŚWIADCZENIE I ŁUPY

Z pokonanych mobów wypadają punkty doświadczenia i przedmioty, które wykorzystasz w przepisach i do zaklinania. Punkty doświadczenia potrzebne są przy zaklinaniu (str. 66).

OSWAJANIE

Niektóre moby, takie jak koty, konie i lamy, oswoisz za pomocą jedzenia. Inne, jak aksalotle i lisy, musisz najpierw przekonać, aby ci zaufały. Jeśli dasz radę, zdobędziesz przyjaciół, którzy będą towarzyszyć ci podczas przygód, a wilki nawet pomogą w walce.

ROZMNAŻANIE

Niektóre moby można rozmnażać za pomocą jedzenia. Gdy nakarmisz dwa moby tego samego gatunku, wydadzą na świat potomstwo.

Wędrując po Świecie Podstawowym, prędzej czy później natkniesz się na rozmaite moby. Z niektórymi uda ci się zaprzyjaźnić, inne będą czyhać na twoje życie. Niezależnie od ich temperamentu wszystkie okażą się przydatne podczas dalszych przygód.

WAŻNE IKONKI

Na kolejnych stronach poznasz wiele mobów, które można napotkać w Minecrafcie. Każdy z nich ma inną liczbę punktów życia i inne statystyki ataku. Moby różnią się także pod względem przedmiotów, które wypadają po ich pokonaniu, i jedzenia, którym można je rozmnożyć. Poniższe ikonki pomogą ci zrozumieć profile mobów występujących w Bedrock Edition.

 Serce oznacza maksymalną liczbę punktów życia moba.
20

 Miecz wskazuje maksymalną liczbę obrażeń zadawanych przez moba z bliska na normalnym poziomie trudności.
6

 Łuk wskazuje maksymalną liczbę obrażeń zadawanych przez moba z dystansu na normalnym poziomie trudności.
11

 Niektóre moby posiadają zbroję, która chroni je przed atakiem. Ta liczba reprezentuje ich odporność.
2

Strzała	Punkt doświadczenia	Złowieszczy sztandar	Tarczka
Burak	Pióro	Błona fantoma	Trawa morska
Płomienna różdżka	Kwiaty	Mak	Skorupa shulkera
Kość	Szklana butelka	Ziemniak	Głowa
Mączka kostna	Świecące jagody	Rozdymka	Oko pająka
Miska	Jasnopył	Królicza łapka	Patyki
Chleb	Kozi róg	Królicza skóra	Sznurek
Marchewka	Złota siekiera	Surowa wołowina	Cukier
Węgiel	Złota marchewka	Surowy kurczak	Słodkie jagody
Sztabka miedzi	Złoty miecz	Surowy dorsz	Totem nieśmiertelności
Kusza	Proch	Surowy schab	Trójząb
Mlecz	Sztabka żelaza	Surowy królik	Ryba tropikalna
Jajko	Skóra	Surowy łosoś	Pszenica
Szmaragd	Magmowy krem	Czerwony pył	Czaszka witherowego szkieletu
Zaklęta książka	Płyta muzyczna	Zgniłe mięso	
Enderperła	Muszla łodzika	Siodło	

PASYWNE MOBY

Te moby są nieszkodliwe i nigdy nie zaatakują gracza (nawet, gdy zostaną sprowokowane). Większość pasywnych mobów można oswoić i rozmnażać, świetnie więc nadają się na towarzyszy i zwierzęta hodowlane.

OSADNIK

Osadnicy wymieniają cenne towary na szmaragdy.

20 | 2

Rozmnaża

OWCA

To jedyne naturalne źródło wełny, z której można zrobić łóżka, dywany i różne dekoracje. Znajdziesz je w trawiastych biomach.

8

Rozmnaża | Co wypada

ŁOSOŚ

Znajdziesz je w rzekach i oceanach. Idealne źródło jedzenia.

6

Co wypada

ŻÓŁW MORSKI

Ten morski mob wychodzi na plażę, aby złożyć jaja. Z dorosłego wypadają tarczki.

30

Rozmnaża | Co wypada

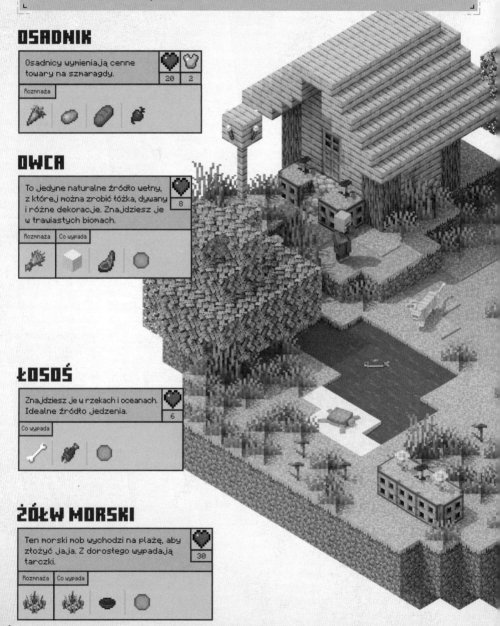

KURCZAK

Ten zamieszkujący trawiaste tereny nielot będzie za tobą podążał, jeśli będziesz mieć ze sobą nasiona.

 4

Rozmnaża

Co wypada

ŚWINIA

Świnie występują na trawiastych biomach. Można je osiodłać.

 10

Rozmnaża

Co wypada

KRÓLIK

Króliki kicają po okolicy i tak kochają marchewki, że skoczą za nimi w przepaść.

 3

Rozmnaża

Co wypada

KROWA

Krowy znajdziesz w trawiastych biomach. Można je wydoić za pomocą wiadra.

 10

Rozmnaża **Co wypada**

KOT

Nie jesteś kociarzem? Tak samo creepery, które za wszelką cenę unikają kotów. Kota zwabisz surową rybą.

 10

Rozmnaża/Oswaja **Co wypada**

LIS

Ten nocny mob atakuje zwierzynę skokiem. Może nosić w pysku 1 przedmiot.

 20

Rozmnaża/Oswaja **Co wypada**

KOŃ

Jeśli chcesz oswoić konia, musisz uzbroić się w cierpliwość – ujeżdżaj go dotąd, aż przestanie zrzucać cię z grzbietu, dopiero wtedy zdołasz go osiodłać.

Rozmnaża **Co wypada**

NEUTRALNE MOBY

Neutralne moby są nieszkodliwe, póki ich nie sprowokujesz. Większość zareaguje wrogo, gdy je zaatakujesz, lecz niektóre z nich można rozgniewać w inny sposób.

NIEDŹWIEDŹ POLARNY

Taki miś może wygląda uroczo, ale lepiej trzymać się z dala od niego, gdy w pobliżu są młode.

| ♥ 30 | ⚔ 5 |

Co wypada

KOZA

Ten mieszkaniec gór skacze bardzo wysoko, a sprowokowany bodzie graczy i moby.

| ♥ 10 | ⚔ 2 |

Rozmnaża   Co wypada

PAJĄK

Chociaż wielkie pająki wyglądają strasznie, stają się wrogie tylko przy słabym świetle.

| ♥ 16 | ⚔ 2 |

Co wypada

DELFIN

Nakarm delfina surową rybą, a zaprowadzi cię do ukrytego skarbu. Jeśli jednak go sprowokujesz, zaatakuje cię całe stado.

| ♥ 10 | ⚔ 3 |

Co wypada

WILK

Tego moba łatwo oswoić i chętnie pomoże
ci w walce. Wilki szczególnie nienawidzą
szkieletów.

♥	⚔
20	4

Rozmnaża/Oswaja	Co wypada

ŻELAZNY GOLEM

Golemy bronią graczy
i osadników. Wygenerowane
przez nie maki możesz
podarować osadnikom.

♥	⚔
100	21.5

Co wypada

PSZCZOŁA

Te urocze owady zapylają
rośliny i produkują miód —
ale nie lubią się nim dzielić!

♥	⚔
10	2

Rozmnaża	Co wypada

WROGIE MOBY

Oczywiście nie wszystkie moby są przyjazne – niektóre zawsze atakują graczy. Biomy i budowle Świata Podstawowego pełne są niebezpieczeństw, dobrze jest więc znać przeciwników! Jeśli dopisze ci szczęście, z pokonanego moba wypadnie zbroja.

CREEPER

Ten podstępny mob podkrada się do graczy i wybucha, zadając ogromne obrażenia.

♥	⚔
20	85

Co wypada

SZKIELET

Nieumarły łucznik atakuje graczy strzałami.

♥	⚔	⛏
20	2	4

Co wypada

POSUCH

Wysuszona odmiana zombie, która przemierza piaski pustyni, nie zważając na światło słoneczne.

♥	⚔	🛡
20	3	2

Co wypada

UTOPIEC

Ta odmiana zombie zamieszkuje ocean, a nocą wypływa na brzeg. Utopce czasami noszą przy sobie trójzęby.

♥	⚔	⛏	🛡
20	11	9	2

Co wypada

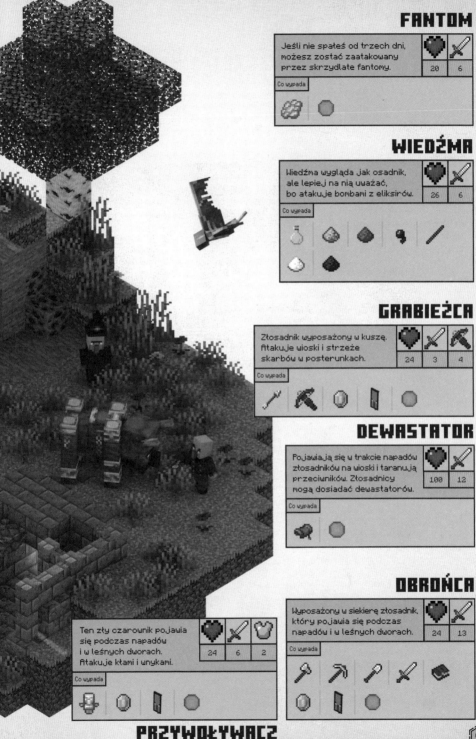

FANTOM

Jeśli nie spałeś od trzech dni, możesz zostać zaatakowany przez skrzydlate fantomy.

❤ 20 | ⚔ 6

Co wypada

WIEDŹMA

Wiedźma wygląda jak osadnik, ale lepiej na nią uważać, bo atakuje bombami z eliksirów.

❤ 26 | ⚔ 6

Co wypada

GRABIEŻCA

Złosadnik wyposażony w kuszę. Atakuje wioski i strzeże skarbów w posterunkach.

❤ 24 | ⚔ 3 | ⛏ 4

Co wypada

DEWASTATOR

Pojawiają się w trakcie napadów złosadników na wioski i taranują przeciwników. Złosadnicy mogą dosiadać dewastatorów.

❤ 100 | ⚔ 12

Co wypada

OBROŃCA

Wyposażony w siekierę złosadnik, który pojawia się podczas napadów i w leśnych dworach.

❤ 24 | ⚔ 13

Co wypada

PRZYWOŁYWACZ

Ten zły czarownik pojawia się podczas napadów i w leśnych dworach. Atakuje kłami i unykami.

❤ 24 | ⚔ 6 | 🛡 2

Co wypada

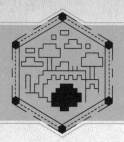

DO BRONI!

HEŁM

ZBROJA

Najlepszą obroną przed wrogimi mobami jest dobry ekwipunek. Każdy element zbroi zmniejsza obrażenia i szkodliwe efekty zadawane przez moby.

WSKAZÓWKA

Jeśli nie nosisz zbroi, możesz zginąć od wybuchu jednego creepera!

Można je zamienić, jeśli chcesz, aby twoja postać była leworęczna.

GŁÓWNA RĘKA

DRUGA RĘKA

NAPIERŚNIK

PUNKTY PANCERZA

Każdy element daje punkty pancerza, które są odliczane od doznawanych obrażeń. Jeśli nosisz komplet zbroi tego samego rodzaju, otrzymasz dodatkowe punkty pancerza. Zarówno zbroja diamentowa, jak i netherytowa zapewniają 20 punktów pancerza, ale ta druga lepiej chroni przed silnymi atakami.

NOGAWICE

BUTY

Świat Minecrafta jest pełen niebezpieczeństw, warto więc przygotować się na każdą ewentualność. Miecz i tarcza nieraz ocalą ci życie, ale dobrze jest podjąć dodatkowe kroki, aby zabezpieczyć swoją bazę. Ostrożność to klucz do przetrwania!

STRUKTURY OBRONNE

W trybie przetrwania musisz zapewnić bezpieczeństwo nie tylko sobie, lecz także swojej bazie. W końcu nikt nie chce się znaleźć w sypialni creepera! Na szczęście jest kilka prostych sposobów, by zabezpieczyć się przed niechcianymi gośćmi.

OŚWIETLENIE

Wrogie moby spawnują się tylko w ciemnościach. Umieść wokół bazy pochodnie lub inne źródła światła, aby niechciani goście przestali cię nachodzić.

MURY I PŁOTY

Wysoki na dwa bloki mur to idealny sposób na ochronę bazy. Jeśli jednak nie chcesz mieszkać w fortecy, skorzystaj z płotów. Powstrzymają większość mobów – poza tymi atakującymi z dystansu.

PROGI

Uważaj na zombie dobijające się do drzwi – jeśli grasz na poziomie trudnym, zniszczą je kilkoma uderzeniami! Aby temu zapobiec, umieść drzwi 1 blok nad ziemią i postaw przed nimi próg.

WSKAZÓWKA

Na str. 66–69 przeczytasz o zaklęciach i miksturach, które ułatwią obronę.

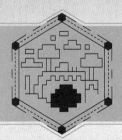

WALKA Z MOBAMI

MIECZ I TARCZA

Z mieczem w dłoni szybko rozprawisz się z mobami. Uważaj na czas pomiędzy kolejnymi atakami – jeśli wskaźnik ataku jest pełny, zadasz mocniejszy cios. Gdy mob chce uderzyć ciebie, zasłoń się tarczą, a unikniesz obrażeń.

NARZĘDZIA

Jeśli nie masz pod ręką broni, możesz walczyć siekierą, kilofem lub łopatą.

TRÓJZĄB

Trójząb to bardzo skuteczna broń. Można wykorzystać go do walki wręcz albo ciskać nim we wrogów. Niestety, aby zdobyć trójząb, musisz najpierw pokonać utopce.

ŁUK I KUSZA

Niektóre moby lepiej pokonać z dystansu. Na przykład jeśli creeper podejdzie zbyt blisko, wybuchnie i zada ci mnóstwo obrażeń! Pamiętaj, aby zawsze mieć ze sobą zapas strzał.

Kiedy staniesz oko w oko z wrogim mobem, musisz szybko podjąć decyzję: walczyć czy wziąć nogi za pas! Ucieczka nieraz ocali ci skórę, czasem jednak może okazać się niemożliwa. Jeśli zostaniesz przyparty do muru, miecz może być ostatnią deską ratunku.

MYŚL STRATEGICZNIE

Wykorzystuj otoczenie na własną korzyść. Moby nie są tak sprytne jak inni gracze i łatwo je zwieść kilkoma sztuczkami.

Wysokie i latające moby nie będą mogły cię zaatakować, jeśli schowasz się pod dachem. W ten sposób ochronisz się przed endermanami i fantomami, ale inne moby wciąż będą stanowić zagrożenie.

W sytuacji bez wyjścia zbuduj prowizoryczny schron o wymiarach 3 x 3 bloki. W ten sposób zapewnisz sobie bezpieczeństwo z każdej strony, a jednocześnie będziesz mógł atakować napastników. Uważaj tylko na dzieci zombie! Te małe paskudy wszędzie się wcisną, dlatego dobrze jest wyeliminować je w pierwszej kolejności.

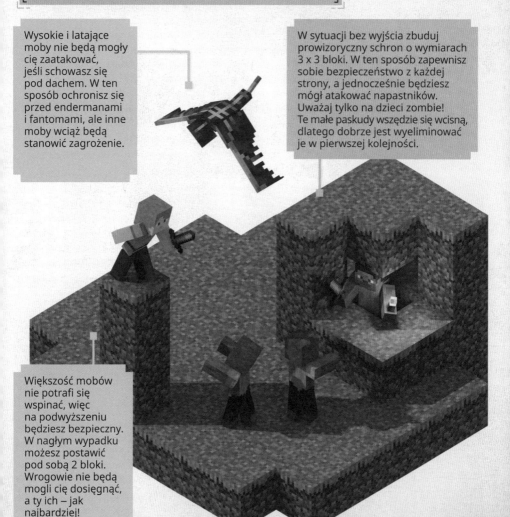

Większość mobów nie potrafi się wspinać, więc na podwyższeniu będziesz bezpieczny. W nagłym wypadku możesz postawić pod sobą 2 bloki. Wrogowie nie będą mogli cię dosięgnąć, a ty ich – jak najbardziej!

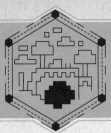

ORIENTACJA W TERENIE

1 KIERUJ SIĘ SŁOŃCEM!

Podobnie jak w prawdziwym świecie w Minecrafcie możesz określić swoje położenie na podstawie ruchu słońca. Słońce i księżyc zaczynają podróż po niebie na wschodzie, a kończą na zachodzie. Chmury i gwiazdy również kierują się zawsze na zachód. Pamiętaj o tym, a na powierzchni nie będziesz potrzebować kompasu.

2 ZAPISUJ SWOJE POŁOŻENIE

W „Ustawieniach świata" możesz wybrać opcję „Pokaż współrzędne", dzięki czemu twoja pozycja będzie zawsze wyświetlona w lewym górnym rogu ekranu. X oznacza długość, a Y szerokość geograficzną. Wysokość nad podłożem oznaczona jest literą Z. Zapisz położenie swojej bazy, a gdy się zgubisz, współrzędne pomogą ci odnaleźć drogę do domu.

3 PUNKTY ORIENTACYJNE

Dobre rozeznanie w terenie ułatwi ci odnalezienie drogi. Zwracaj uwagę na charakterystyczne elementy krajobrazu, takie jak rzeki, góry czy biomy. Możesz też stworzyć własne punkty orientacyjne. Zbuduj z bloków tak wysoką wieżę, aby była widoczna z daleka, a zawsze będziesz mógł do niej wrócić.

Wędrując po świecie Minecrafta, natkniesz się na zapierające dech w piersiach dżungle, majestatyczne góry i tajemnicze mokradła. Może się zdarzyć, że podziwiając piękno krajobrazów, zapomnisz, gdzie jesteś. Na szczęście kilka prostych sztuczek pomoże ci znaleźć właściwą drogę.

4 MAPY

Zawsze noś przy sobie mapę, którą zrobisz za pomocą kompasu. Wszystkie odkryte przez ciebie tereny zapisywane są na mapie, co znacznie ułatwia orientację. Na mapie zaznaczona jest też twoja pozycja. Każde nowo odkryte miejsce dodawane jest do mapy, jeśli więc znajdziesz się w nieznanej okolicy, z łatwością odnajdziesz drogę do domu!

5 SZLAK POCHODNI

Eksploracja podziemi wiąże się z takimi wyzwaniami, jak nieskończone tunele, w których mogą się zgubić nawet najbardziej doświadczeni gracze. Aby łatwiej się rozeznać w tym labiryncie, co jakiś czas umieszczaj z prawej strony pochodnię. Jeśli będziesz chciał odnaleźć drogę do wyjścia, podążaj za pochodniami!

6 USTAW PUNKT ODRODZENIA

Zapisanie punktu odrodzenia za pomocą łóżka to najprostszy, a zarazem najpewniejszy sposób, byś zawsze mógł wrócić do domu. Jest to oczywiście ostatnia deska ratunku, ponieważ utracisz wtedy cały ekwipunek, a to bez wątpienia bardzo wysoka cena!

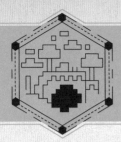

AŻ NA KRANIEC ŚWIATA

WSKAZÓWKA

Możesz zwiększyć prędkość poruszania za pomocą mikstur i zaklęć (str. 66–69).

CHODZENIE, BIEGANIE I PŁYWANIE

Jeśli chcesz, możesz eksplorować świat w tradycyjny sposób – na dwóch nogach! Chodzenie i pływanie to najprostszy sposób podróżowania. Bieganie jest szybsze, ale wywołuje głód – zabierz prowiant!

WIERZCHOWCE

Z pomocą wierzchowców w krótkim czasie pokonasz duże dystanse. Najpierw musisz jednak znaleźć siodło i konia, muła, osła, magmołaza lub świnię. Siodeł nie można zrobić samodzielnie, ale generują się w budowlach, a czasami sprzedają je osadnicy. Nie na każdym mobie jeździ się w ten sam sposób, ale wszystkie najpierw trzeba oswoić (str. 46). Niektóre moby, w tym osły, muły i lamy, mogą dodatkowo transportować skrzynie.

WAGONIKI

Jeśli często przemierzasz tę samą trasę, możesz połączyć oba miejsca torami. Wystarczy wskoczyć w wagonik, by rozkoszować się szybką i wygodną jazdą! Dodatkowo wagonik ze skrzynią znacznie ułatwi transportowanie surowców.

Świat Minecrafta jest ogromny i nim się obejrzysz, będziesz musiał przemierzać duże przestrzenie w poszukiwaniu surowców, biomów i budowli. Dobrze jest wybrać odpowiedni środek transportu w zależności od tego, jak daleko się wybierasz. Na szczęście masz wiele możliwości!

PORTALE

Portale Netheru to najszybsza i najbardziej efektywna metoda podróżowania na dalekie dystanse. Zachowaj jednak ostrożność: Nether to niebezpieczne miejsce (str. 72–79). Do zbudowania portalu potrzebujesz bloków obsydianu, które można wydobyć tylko diamentowym kilofem.

Portale Netheru działają w bardzo prosty sposób: na 1 blok pokonany w Netherze przemieszczasz się 8 bloków w Świecie Podstawowym. Jeśli zatem przejdziesz 100 bloków pomiędzy portalami w Netherze, w Świecie Podstawowym będzie to 800 bloków.

Ponieważ Nether jest pełny jezior lawy i wrogich mobów, większość graczy buduje swoje portale na najwyższym poziomie.

WSKAZÓWKA

Gdy podróżujesz przez portal, bierz ze sobą krzesiwo. Jeśli zostanie on zniszczony, będziesz musiał go na nowo podpalić — inaczej utkniesz w Netherze.

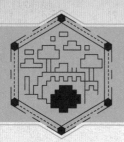

MIĘDZY NAMI OSADNIKAMI

GDZIE ICH ZNALEŹĆ

Osadników znajdziesz w wioskach na równinach, pustyni i sawannie, a także w tundrze i tajdze. W zależności od miejsca pochodzenia będą się różnić wyglądem. Czasem natkniesz się na osadników zombie, których można wyleczyć złotym jabłkiem.

HANDEL

Handlować można z każdym osadnikiem, który ma fach. W zależności od profesji mieszkańcy wiosek sprzedają inne towary – patrz obok. Możesz wymieniać u nich bloki i przedmioty na szmaragdy lub odwrotnie.

UZDOLNIENI HANDLARZE

Osadnik, z którym często handlujesz, zdobywa doświadczenie. Z czasem zyskuje coraz wyższy poziom, dzięki czemu ma lepsze towary. Cena przedmiotów zależy od popytu, a jeśli wszystkie wykupisz, będziesz musiał zaczekać, aż handlarz uzupełni zapasy.

NOWICJUSZ   PRAKTYKANT   CZELADNIK   FACHOWIEC

Poziom handlarza rozpoznasz po kolorze pasa.

Osadnicy to nie tylko przyjacielskie twarze – mają mnóstwo cennych przedmiotów na sprzedaż i mogą być bardzo pomocni. W ofercie handlarzy znajdziesz niemal wszystko – od szmaragdów, przez zaklęte książki, aż po mapy! Koniecznie do nich zajrzyj!

PROFESJE

Z wyjątkiem dzieci i głupców wszyscy osadnicy bardzo ciężko pracują albo poszukują zatrudnienia. Osadnicy bez profesji noszą zwykłe szaty. Jeśli takiego znajdziesz, postaw przy nim blok pracy, aby zapewnić mu fach.

Głupcy nigdy nie będą pracować.

	ZBROJMISTRZ Handluje zbrojami i tarczami.		**RYMARZ** Kupuje skóry, z których robi zbroje i siodła.	
	RZEŹNIK Kupuje surowe jedzenie i sprzedaje ugotowane.		**BIBLIOTEKARZ** Kupuje książki. Sprzedaje zaklęte książki.	
	KARTOGRAF Sprzedaje mapy i sztandary.		**KAMIENIARZ** Kupuje kamienie i glinę. Sprzedaje dekoracyjne bloki.	
	KAPŁAN Kupuje zgniłe mięso, a sprzedaje lazuryt i enderperły.		**PASTERZ** Kupuje wełnę. Sprzedaje łóżka i sztandary.	
	ROLNIK Kupuje i sprzedaje jedzenie, w tym ciasto i złote marchewki.		**NARZĘDZIARZ** Sprzedaje zaklęte narzędzia.	
	RYBAK Kupuje surowe ryby. Sprzedaje ugotowane ryby i wędki.		**PŁATNERZ** Sprzedaje zaklęte miecze i siekiery.	
	ŁUCZARZ Sprzedaje zaklęte łuki i kusze.			

NOWY FACH

Możesz zmienić profesję każdego osadnika, z którym jeszcze nie handlowałeś. Aby to zrobić, zniszcz jego blok pracy i zastąp go nowym. Jeśli postawisz ten sam blok pracy, towary handlarza zostaną odnowione.

PLOTKI I REPUTACJA

Jak to bywa w małej społeczności, osadnicy kochają plotki. Z upodobaniem rozprawiają o twoich dobrych i złych uczynkach z każdym napotkanym osadnikiem. Reputacja, którą cieszysz się w wiosce, wpływa na ceny towarów.

POZYTYWNE czyny, jak leczenie i handel, zwiększają reputację.

NEGATYWNE czyny, jak atakowanie i zabijanie, zmniejszają reputację.

ŻELAZNY OBROŃCA

Osadnicy są bardzo pożyteczni, ale niezbyt waleczni. Na szczęście gdy zostaną zaatakowani, mogą wezwać na pomoc żelazne golemy. Aby żelazny golem się pojawił, wioska musi mieć co najmniej 10 mieszkańców i 20 łóżek.

POPULARNOŚĆ

Szanuj swoich sąsiadów. Jeśli będziesz źle traktował osadników, ucierpią nie tylko twoja reputacja, lecz także popularność. Gdy będziesz miał wyjątkowo niską popularność, żelazne golemy zaczną cię atakować.

ZWIĘKSZENIE POPULACJI

Handlując z osadnikami, zdobędziesz wiele cennych przedmiotów, które pomogą ci utrzymać się przy życiu. Chociaż w każdej wiosce w Świecie Podstawowym spawnują się osadnicy, może być ich za mało, abyś miał dostęp do każdej profesji. Jeśli chcesz zwiększyć populację wioski, zapewnij osadnikom odpowiednie warunki do posiadania dzieci.

PRZYJAZNE WARUNKI

Im lepsze warunki do życia mają osadnicy, tym chętniej będą się rozmnażać. Oto prosty sposób na przekształcenie wioski w przyjazne miejsce, które skłoni jej mieszkańców do posiadania potomstwa.

ŁÓŻKA

Osadnicy potrzebują wolnych łóżek dla dzieci, aby się rozmnażać. Umieść w wiosce po jednym łóżku dla każdego nowego mieszkańca.

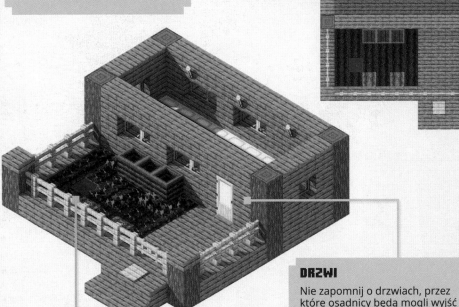

DRZWI

Nie zapomnij o drzwiach, przez które osadnicy będą mogli wyjść do ogródka – inaczej umrą z głodu!

JEDZENIE

Syty osadnik to szczęśliwy osadnik. Przygotuj pole uprawne z dostępem do wody i posadź trochę marchewek, ziemniaków lub buraków. Postaw obok kompostownik, a jeden z mieszkańców zajmie się ogródkiem. Upewnij się tylko, że masz w wiosce rolnika!

WSKAZÓWKA

Osadnicy nie potrafią otwierać furtek w płotach. Aby rozwiązać ten problem, umieść przed furtką płytę naciskową.

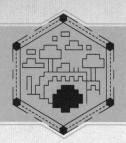

ZAKLINANIE NARZĘDZI

JAK ZAKLINAĆ PRZEDMIOTY?

W pierwszej kolejności potrzebujesz stołu do zaklęć. Zrobisz go z książki, 2 diamentów i 4 bloków obsydianu. Gdy stół jest gotowy, weź wybrane narzędzie i 1–3 kawałki lazurytu. Pamiętaj, że podczas zaklinania zużywasz poziomy doświadczenia.

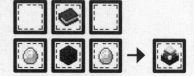

JAK UŻYWAĆ STOŁU DO ZAKLĘĆ?

Stoły do zaklęć pozwalają na zaczarowanie przedmiotu losowym zaklęciem. Rodzaj zaklęcia zależy od poziomu przedmiotu i liczby biblioteczek w pobliżu. Oto wygląd menu zaklinania:

W tym miejscu umieść 1—3 kawałki lazurytu, aby naładować zaklęcie.

Liczba po lewej oznacza poziomy doświadczenia, które zużyjesz do zaklęcia.

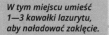

Niezniszczalność I... ?

Nazwa zaklęcia zapisana będzie w standardowym alfabecie galaktycznym – ale nie martw się, jeśli nie potrafisz jej odczytać! Gdy przesuniesz kursor nad tekst, obok pojawi się tłumaczenie.

W tym miejscu umieść przedmiot do zaklęcia.

Liczba po prawej to poziom doświadczenia wymagany do zaklęcia przedmiotu.

Lista dostępnych zaklęć zależy od liczby biblioteczek znajdujących się w pobliżu.

Jeśli chcesz ulepszyć swój sprzęt, najprościej jest znaleźć trwalsze materiały, najbardziej wydajne jest jednak zaklinanie. W grze znajdziesz wiele różnych zaklęć dających ciekawe efekty. Pamiętaj tylko, że zaklinanie może być bardzo kosztowne!

WIEDZA TO POTĘGA

Im więcej czytasz, tym większą masz wiedzę. Ta sama zasada sprawdza się podczas zaklinania! Wokół stołu do zaklinania postaw biblioteczki – do 15 sztuk – a odblokujesz najpotężniejsze zaklęcia aż do 30 poziomu!

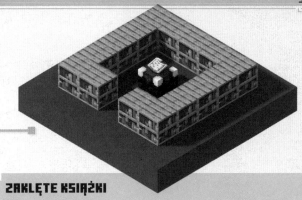

ZAKLĘTE KSIĄŻKI

Stół do zaklinania daje dostęp do większości zaklęć, niektóre jednak (w tym Naprawa i Mroźny piechur) musisz kupić od osadników pod postacią zaklętych książek. Obdarzysz nimi przedmioty za pomocą kowadła.

ZAKLĘCIA

W grze jest 37 zaklęć, którymi możesz zaczarować swój ekwipunek. Jeden przedmiot może być opatrzony nawet kilkoma zaklęciami. Niektóre zaklęcia można wykorzystać na różnych przedmiotach, podczas gdy inne ograniczone są do konkretnych narzędzi i broni. Oto kilka najprzydatniejszych zaklęć w trybie przetrwania:

WYDAJNOŚĆ

Szybsze pozyskiwanie zasobów.

NIEZNISZCZALNOŚĆ

Zwiększa wytrzymałość przedmiotów.

POGROMCA NIEUMARŁYCH

Zadaje dodatkowe obrażenia nieumarłym.

ŁAGODNY UPADEK

Powolne upadanie.

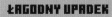

NIESKOŃCZONOŚĆ

Strzały nigdy się nie kończą.

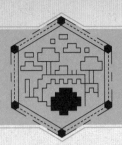

WARZENIE ELIKSIRÓW

JAK WARZYĆ MIKSTURY?

Warzenie mikstur zazwyczaj składa się z kilku etapów – najpierw przygotowujesz eliksir bazowy, który następnie przekształcasz, aż osiągniesz pożądany efekt. Najpierw jednak potrzebujesz statywu alchemicznego. Możesz go znaleźć w wioskach lub w igloo albo zrobić samemu z bruku i płomiennej różdżki, która zdobędziesz na płomykach (str. 78). Z płomyków wypada też płomienny proszek, którym zasilasz statyw. Potrzebujesz też butelek i źródła wody – kocioł będzie w sam raz.

PROCES WARZENIA

1 Napełnij 3 szklane butelki wodą z kotła, po czym umieść je w statywie alchemicznym. Następnie dodaj płomienny proszek – liczba pokazuje, ile proszku jeszcze masz.

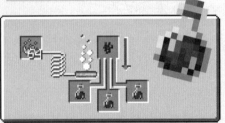

2 Stwórz miksturę bazową. Klarowna mikstura jest podstawą większości eliksirów, ale sama w sobie nie ma żadnych efektów. Aby ją przygotować, dodaj do statywu netherową brodawkę.

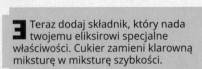

3 Teraz dodaj składnik, który nada twojemu eliksirowi specjalne właściwości. Cukier zamieni klarowną miksturę w miksturę szybkości.

4 Przenieś uwarzone mikstury ze statywu do ekwipunku. Eksperymentuj z różnymi składnikami, aby uzyskać inne efekty.

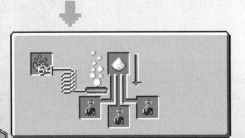

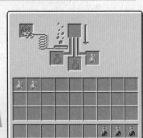

W ciągu kilku tygodni spędzonych w Minecrafcie bez wątpienia zmierzyłeś się z wieloma niebezpieczeństwami i nieraz żałowałeś, że nie jesteś lepiej przygotowany. Dzięki eliksirom, takim jak mikstura życia czy odporności na ogień, będzie ci o wiele łatwiej grać w trybie przetrwania.

OTO KILKA MIKSTUR, KTÓRE POMOGĄ CI PRZEŻYĆ:

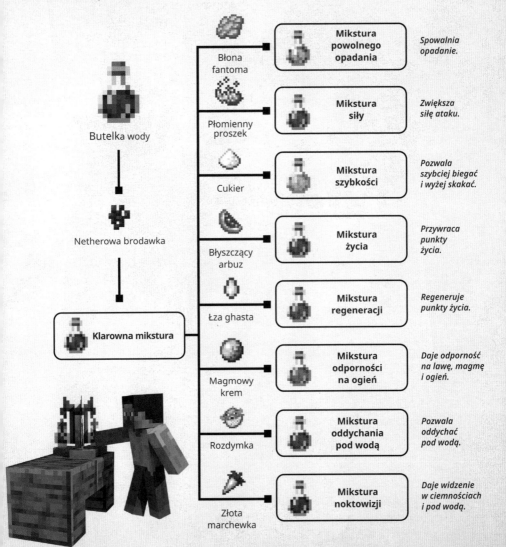

Butelka wody

Netherowa brodawka

Klarowna mikstura

Błona fantoma → **Mikstura powolnego opadania** — *Spowalnia opadanie.*

Płomienny proszek → **Mikstura siły** — *Zwiększa siłę ataku.*

Cukier → **Mikstura szybkości** — *Pozwala szybciej biegać i wyżej skakać.*

Błyszczący arbuz → **Mikstura życia** — *Przywraca punkty życia.*

Łza ghasta → **Mikstura regeneracji** — *Regeneruje punkty życia.*

Magmowy krem → **Mikstura odporności na ogień** — *Daje odporność na lawę, magmę i ogień.*

Rozdymka → **Mikstura oddychania pod wodą** — *Pozwala oddychać pod wodą.*

Złota marchewka → **Mikstura noktowizji** — *Daje widzenie w ciemnościach i pod wodą.*

INNE WYMIARY

W miarę jak rozbudowujesz swoją bazę
w Świecie Podstawowym, stajesz się coraz potężniejszy.
Z czasem będziesz dość silny, by stawić czoła jeszcze
większym wyzwaniom. Najdzielniejszych śmiałków
czekają dwa nowe wymiary: Nether i End. To niezwykle
niebezpieczne i tajemnicze miejsca, pełne cudów,
których nie znajdziesz nigdzie indziej – nie wspominając
o unikalnych skarbach! Podróż przez te groźne
tereny wystawi na próbę wszystkie twoje umiejętności.
Czy jesteś gotów zmierzyć się z okropieństwami
Netheru i Smokiem Endu?

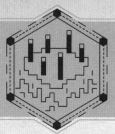

NETHER

JAK DOTRZEĆ DO NETHERU

By dostać się do Netheru, potrzebujesz portalu. W tym celu możesz naprawić zrujnowany portal Netheru albo zrobić nowy z bloków obsydianu ułożonych w prostokątną ramę. Na koniec podpal portal krzesiwem.

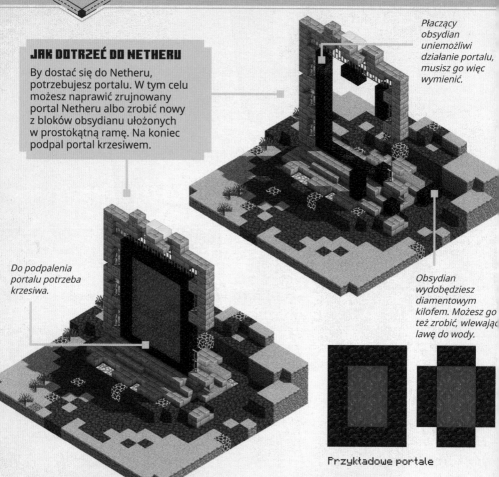

Płaczący obsydian uniemożliwi działanie portalu, musisz go więc wymienić.

Do podpalenia portalu potrzeba krzesiwa.

Obsydian wydobędziesz diamentowym kilofem. Możesz go też zrobić, wlewając lawę do wody.

Przykładowe portale

PUNKT ODRADZANIA

Po dotarciu do Netheru zapewne spróbujesz ustawić punkt odradzania za pomocą łóżka – NIGDY TEGO NIE RÓB! W tym koszmarnym wymiarze nie można spać, a twoje łóżko natychmiast wybuchnie. Zamiast tego przygotuj kotwicę odrodzenia z płaczącego obsydianu i jasnogłazu.

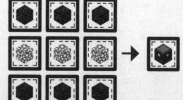

Przepis na punkt odradzania

Podróżując po Świecie Podstawowym, możesz natknąć się na ruiny portalu. Jeśli je naprawisz, uzyskasz dostęp do Netheru – nowego wymiaru, pełnego ognia, lawy i dziwnych grzybów. Możesz też zrobić własny portal. Miej się jednak na baczności – Nether nie jest przyjaznym miejscem.

TUBYLCY

Moby zamieszkujące Nether są równie nieprzyjazne co pełen lawy krajobraz. Ghasty powitają cię kulami ognia, a witherowe szkielety zarażą efektem obumarcia. Z niektórymi mobami zdołasz się jednak przy odrobinie wysiłku zaprzyjaźnić. Pigliny mogą być cennymi sojusznikami – wymienisz u nich sztabki złota na różne towary.

Pradawne zgliszcza

Jasnogłaz

Netherrack

Kwarc

PRADAWNE ZGLISZCZA

W Netherze zdobędziesz nowe materiały budowlane. Jeśli dopisze ci szczęście, znajdziesz tu pradawne zgliszcza. Bloki pradawnych zgliszcz można przetopić w odłamki netherytu. Połącz je ze sztabkami złota, aby uzyskać sztabki netherytu, z których zrobisz najlepszą zbroję i broń w grze.

NOWE WIERZCHOWCE

Jeśli chciałeś zabrać do Netheru konia, mamy dla ciebie złą wiadomość – ten wierzchowiec nie poradzi sobie w trudnym terenie, przez który płyną rzeki ognia. Na szczęście w Netherze znajdziesz magmołazy. Te urocze stworki zrobią wszystko za kilka grzybów – przeniosą cię nawet przez lawę! Potrzebujesz tylko siodła i grzyba na patyku.

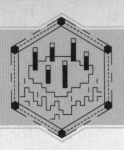

BIOMY:
NETHER

DOLINA DUSZ

Dolina dusz to netherowy odpowiednik pustyni. Cały biom składa się z piasku dusz, który spowalnia poruszanie. Jakby tego było mało, krajobraz trawi eteryczny ogień o niebieskich płomieniach. Można tu znaleźć netherowe skamieliny.

SZKARŁATNY LAS

Nazwa tego biomu pochodzi od wielkich szkarłatnych grzybów. W odróżnieniu od reszty Netheru szkarłatny las tętni życiem. Znajdziesz tu pigliny i hogliny.

NETHEROWE PUSTKOWIA

Najczęściej występujący w Netherze biom. Znajdziesz tu netherrack i złoża rud. Uważaj jednak na groźne zzombifikowane pigliny.

PORTAL

Gdy już obłowisz się w łupy i zechcesz wrócić do Świata Podstawowego, skieruj się do portalu. Ciekawe, jaki dystans pokonałeś, podróżując w Netherze (str. 61)!

Nether to bardzo niebezpieczne miejsce, które wystawi na próbę umiejętności nawet najbardziej zaprawionych podróżników. Dziwne, a zarazem piękne biomy obfitują w cenne skarby, takie jak płomienne różdżki, potrzebne do warzenia mikstur i otwarcia wrót do Endu.

BAZALTOWE DELTY

Bazaltowe delty są chyba najbardziej niebezpiecznym miejscem w Netherze. Składają się z wysokich bazaltowych iglic poprzetykanych jeziorkami lawy. Zachowaj ostrożność!

SPACZONY LAS

W porównaniu z innymi biomami Netheru spaczony las jest wyjątkowo bezpiecznym miejscem. Obfita roślinność sprawia wrażenie, że jest to idealne miejsce na bazę, jednak endermany mogą uprzykrzyć ci życie.

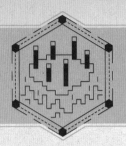

JEZIORA LAWY

W niektórych biomach Netheru znajdziesz wielkie jeziora lawy. Uważaj, aby do nich nie wpaść! Wystarczy chwila nieuwagi, a stracisz życie i wszystkie łupy. Jeśli chcesz przedostać się przez lawę, zbuduj most lub oswój magmołaza.

UKRYTE ŹRÓDŁA LAWY

Uważaj, gdzie kopiesz! Za ścianami netherracku mogą kryć się źródła lawy. Jeśli zobaczysz wypływającą lawę, natychmiast się wycofaj lub zatamuj ją blokiem. Bądź ostrożny – w Netherze nie znajdziesz wody do ugaszenia płomieni.

PIASEK DUSZ

Znajdziesz go w dolinie dusz. Ponieważ piasek dusz spowalnia poruszanie, staniesz się łatwym celem dla wrogich mobów. Jeśli masz stół do zaklęć, możesz zaczarować buty zaklęciem Prędkość dusz, co pozwoli ci poruszać się z normalną szybkością.

BAZALTOWE KOLUMNY

Te wysokie iglice górują nad zbiornikami lawy w bazaltowej delcie. Jeden niewłaściwy krok, a wpadniesz do jeziora ognia! Znajdziesz tu kostki magmy, z których wypada magmowy krem potrzebny do uwarzenia mikstury odporności na ogień.

Biomy Netheru w niczym nie przypominają tych ze Świata Podstawowego. Jeśli chcesz przeżyć, musisz opracować nowe strategie. Zawsze ostrożnie sprawdzaj teren i nie szarżuj, jeśli nie chcesz się zgubić, wpaść do jeziora lawy lub skończyć jako przekąska miejscowych mobów.

WSKAZÓWKI DLA NETHEROWYCH PODRÓŻNIKÓW

Trudny teren sprawia, że eksploracja Netheru to prawdziwe wyzwanie. Przed wyruszeniem na wyprawę dobrze się przygotuj.

ODPORNOŚĆ NA OGIEŃ

Woda jest bezużyteczna w Netherze – od razu wyparuje! A to sprawia, że ogień jest jeszcze groźniejszy. Na wszelki wypadek zabierz ze sobą miksturę odporności na ogień. Ocali ci życie, jeśli wpadniesz do lawy.

RUSZTOWANIE I BLOKI BUDOWLANE

Głębokie przepaści i szerokie wąwozy znacznie utrudniają podróż pomiędzy biomami. Zawsze noś przy sobie bloki, z których będziesz mógł zbudować mosty. Rusztowanie przyda się podczas wspinaczki.

ZŁOTY EKWIPUNEK

Pigliny uwielbiają złoto. Lubią je tak bardzo, że zaprzyjaźnią się z graczem, który nosi złotą zbroję. Jeśli tylko masz złoty ekwipunek, pigliny zostawią cię w spokoju. Pamiętaj tylko, aby nie dotykać ich złota ani skrzyń!

ZNACZNIKI

W Netherze łatwo jest zabłądzić, tym bardziej że nie ma tu żadnych map. Podczas wędrówek zawsze oznaczaj szlak, a bez trudu odnajdziesz drogę do domu!

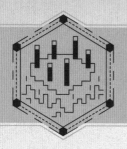

NAPOTKANE MOBY: NETHER

KOSTKA MAGMY

Ten wrogi mob występuje w trzech rozmiarach. Pokonany rozdziela się na 2-4 mniejsze kostki.			
	1-16	3-6	3-12

Co wypada

PŁOMYK

Pokonaj go, a zdobędziesz płomienną różdżkę! Uważaj jednak na kule ognia.			
	20	5	6

Co wypada

WITHEROWY SZKIELET

Ten wysoki szkielet walczy mieczem i wywołuje efekt obumarcia.		
	20	8

Co wypada

GHAST

Zanim zobaczysz ghasta, usłyszysz jego zawodzenie. Uważaj na kule ognia!		
	10	12

Co wypada

Moby w Netherze spawnują się o wiele częściej niż w Świecie Podstawowym i nie da się ich uniknąć. Ucieczka nie zawsze wchodzi w grę, gdy otaczają cię jeziora lawy, nie pozostaje więc nic innego, jak przygotować się do walki! Na str. 47 znajdziesz objaśnienia ikonek.

PIGLIN

Pigliny atakują, jeśli nie nosisz złotej zbroi. Można z nimi handlować.

16	4	9

Co wypada

PIGLIN OKRUTNIK

Te potężne, uzbrojone w siekiery pigliny znajdziesz w ruinach bastionu. Zaatakują cię, nawet gdy masz złotą zbroję.

50	13.5

Co wypada

HOGLIN

Ważne źródło pożywienia w Netherze. Znajdziesz je w ruinach bastionu i szkarłatnym lesie. Dorosłe osobniki wyrzucą cię w powietrze – uwaga na lawę!

40	8

Co wypada

MAGMOŁAZ

Te przyjazne moby przeniosą cię przez lawę. Możesz nimi sterować spaczonym grzybem na patyku.

20

Co wypada	Rozmnaża

END

JAK DOTRZEĆ DO ENDU

Najpierw musisz odszukać specjalny portal, który generuje się w twierdzach w Świecie Podstawowym. W tym celu rzuć przed siebie enderperłę i idź w kierunku, w którym upadła – zaprowadzi cię do najbliższej twierdzy. Gdy enderperła zatrzyma się w jednym miejscu, kop w ziemi, aż dotrzesz do budowli z zamszonego bruku.

PORTAL ENDU

Kiedy już dostaniesz się do twierdzy, poszukaj portalu. By go aktywować, potrzebujesz 12 oczu Endera, które zrobisz z enderpereł i płomiennego proszku. Gdy tylko portal zostanie naprawiony, wypełni go rozgwieżdżone czarne pole – wskocz do środka, aby przenieść się do Endu!

Teraz, gdy masz już za sobą przygody w Netherze, czeka cię prawdziwe wyzwanie! Zanim jednak wyruszysz na tę niebezpieczną wyprawę, musisz się dobrze przygotować. Gdy już przejdziesz przez portal, nie będziesz mógł wrócić do domu, dopóki nie pokonasz Smoka Endu – albo on nie pokona ciebie!

WALKA ZE SMOKIEM

Gdy tylko przejdziesz przez portal, będziesz musiał stawić czoła Smokowi Endu. Jeśli zdołasz go pokonać, pojawią się portal powrotny, a także bramy Endu, umożliwiające eksplorację nowego wymiaru. Oto kilka wskazówek, jak pokonać Smoka.

KRYSZTAŁY ENDU

W pierwszej kolejności zniszcz kryształy Endu na obsydianowych słupach. Dopóki tego nie zrobisz, Smok będzie odzyskiwał życie. Najłatwiej je zniszczyć, strzelając z łuku. Możesz też spróbować rozbić je jakimś narzędziem, ale uważaj – pod wpływem uderzenia wybuchają!

UNIKAJ ODDECHU SMOKA

Za wszelką cenę unikaj różowych płomieni, którymi zieje Smok. Jeśli cię dotkną, bardzo szybko utracisz punkty życia.

ENDERMANY

Uważaj na endermany. Podczas walki ze Smokiem łatwo je rozłościć, a wtedy teleportują się w twoim kierunku.

WIADRO WODY

Wiadro wody pomoże ci uniknąć obrażeń od upadku. Smok Endu co jakiś czas wyrzuci cię w powietrze, wylej wtedy pod siebie wodę, aby bezpiecznie wylądować na ziemi.

CELUJ W GŁOWĘ

Staraj się celować w głowę Smoka – tylko tak zadasz mu pełne obrażenia. Ataki w resztę ciała są mniej skuteczne.

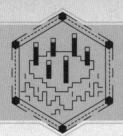

BIOMY: END

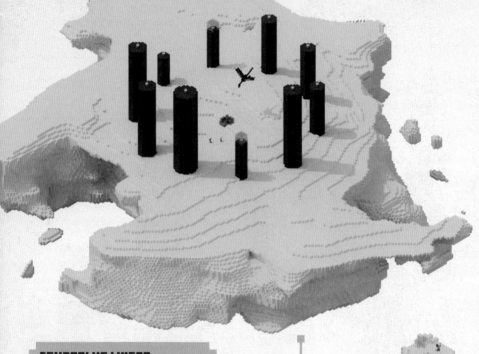

CENTRALNA WYSPA

Pojawia się w samym środku Endu.
To właśnie tutaj stoczysz bitwę
ze Smokiem. To jedyne miejsce,
w którym znajdziesz portal powrotny
do Świata Podstawowego.

BRAMY ENDU

Pojawiają się, gdy pokonasz Smoka. Bramy przeniosą cię na pozostałe
wyspy Endu. W tym celu wrzuć w jedną z nich enderperłę – pamiętaj,
by mieć dodatkową perłę w zapasie na drogę powrotną. Jeśli chcesz
odwiedzić inną lokację w Endzie, musisz przywać Smoka i pokonać
go ponownie – wtedy pojawi się kolejna brama. W ten sposób
odblokujesz 20 bram. Pomyśl tylko, ile skarbów znajdziesz na 20 różnych
wyspach Endu!

Gratulacje! Pokonałeś Smoka Endu i odblokowałeś dostęp: „To już koniec?". Ale czy to naprawdę koniec? Oczywiście, że nie! Zyskałeś dostęp do bram Endu, które zabiorą cię na zawieszone w próżni wyspy zewnętrzne. Zaopatrz się w enderperły i ruszaj na poszukiwanie skarbów!

WYSPY ZEWNĘTRZNE

Dostaniesz się na nie dopiero po pokonaniu Smoka. Zazwyczaj są bardziej zróżnicowane niż centralna wyspa. Niektóre porastają lasy drzew refrenusu, na innych znajdziesz miasta Endu i statki. Dość często wyspy położone są blisko siebie – możesz wtedy podróżować pomiędzy nimi za pomocą enderpereł.

MIASTO ENDU

Chociaż miasta Endu generują się na zewnętrznych wyspach, nie tak łatwo je znaleźć. Charakteryzują się wyjątkowymi, purpurowymi wieżami, które mogą pojawiać się pojedynczo lub w wielopiętrowych kompleksach. To właśnie tu znajdziesz tak cenne skarby jak elytry.

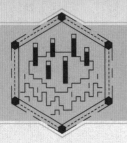

TEREN: END

EKSPLORACJA ENDU

W Endzie znajdziesz wiele cennych skarbów, jednak otaczająca wyspy próżnia i niezliczone zastępy endermanów znacznie utrudniają eksplorację tego wymiaru. Oto kilka rad, które pomogą ci przetrwać.

OWOC REFRENUSU

To jedyne źródło pożywienia w Endzie. Owoce refrenusu mają specjalną właściwość – po zjedzeniu teleportują cię na sąsiedni blok. Czasami jest to uciążliwe, ale wielokrotnie może ocalić ci życie – na przykład, gdy zostałeś trafiony pociskiem shulkera (str. 86). Jeśli spadasz w próżnię, zjedz jeden owoc, aby wrócić na stały ląd.

DWA BLOKI I DACH

Endermany mają 3 bloki wysokości, nie mogą więc wejść do niższych pomieszczeń! Jeśli zbudujesz dach bezpośrednio nad swoją głową, nie będą mogły ci zagrozić.

DYNIOWY HEŁM

Endermany zawsze atakują, jeśli spojrzysz im w oczy – chyba że nosisz hełm z dyni! Załóż dynię na głowę i przełącz się w tryb trzeciej osoby, aby nic nie ograniczało ci pola widzenia.

Krajobraz Endu jest jedyny w swoim rodzaju. W mrocznej pustce unoszą się zawieszone wyspy. Możesz budować pomiędzy nimi mosty, ale potrzeba do tego wielu bloków. Na szczęście jest łatwiejszy sposób na podróżowanie między wyspami: enderperły.

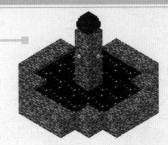

Portal powrotny pojawi się, gdy pokonasz Smoka Endu.

ENDERPERŁY

Enderperły umożliwiają podróżowanie pomiędzy wyspami Endu. Gdy rzucisz przed siebie perłę, zostaniesz teleportowany tam, gdzie upadnie. Bądź jednak ostrożny – możesz odnieść obrażenia od upadku lub zostać zaatakowany przez endermity. Celuj uważnie i trzymaj kciuki, aby perła wylądowała w bezpiecznym miejscu. Wcześniej poćwicz w Świecie Podstawowym.

Endermany nie mogą przenosić kamieni Endu, warto więc zbudować z nich schron!

HODOWLA PEREŁ

Będziesz potrzebować mnóstwa pereł! Dobrym pomysłem jest zrobienie farmy. Zbuduj bunkier w taki sposób, aby podłoga znajdowała się 1 blok poniżej ziemi, a dach umieść na wysokości 2 bloków – dzięki temu endermany nie dostaną się do środka. Rozgniewaj tyle endermanów, ile zdołasz, po czym schowaj się w bunkrze – teraz możesz atakować je od dołu!

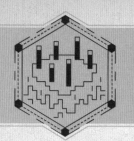

NAPOTKANE MOBY: END

ENDERMAN

Wysokie moby ze zdolnością teleportacji. Jeśli nie chcesz ich rozgniewać, nie patrz im w oczy!

❤️	⚔️
40	7

Co wypada

SMOK ENDU

Ten ogromny Smok to jeden z najtrudniejszych przeciwników w grze.

❤️	⛏️	⚔️
200	6	10

Co wypada

SHULKER

Shulker wygląda jak zwykły blok purpuru, ale strzela pociskami wywołującymi lewitację!

❤️	⛏️	🛡️
30	4	20

Co wypada

End to bardzo niebezpieczne miejsce, w którym żyje wiele dziwnych
i groźnych mobów. Znajdziesz tu potężnego Smoka i inne stwory,
które tylko czekają, by cię zaatakować. Czy jesteś gotów do walki?
Na str. 47 znajdziesz objaśnienia ikonek.

ENDERMIT

Gdy rzucisz enderpertę, może pojawić
się endermit. Na szczęście te małe
szkodniki żyją bardzo krótko.

❤ 8	⚔ 2

Co wypada

○

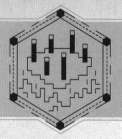

STRUKTURY GENEROWANE: NETHER I END

NETHER

FORTECA NETHERU

Te potężne ceglane twierdze generują się w całym Netherze. Śmiałkowie znajdą w nich netherowe brodawki – bardzo cenny składnik mikstur – i wiele niebezpiecznych mobów, takich jak płomyki.

RUINY BASTIONU

Ruiny bastionu to zniszczone budowle pełne piglinów i skarbów. Jeśli nie boisz się potężnych piglinów okrutników, zdobędziesz tu wiele cennych łupów!

Teraz, gdy aktywowałeś już portale Netheru i Endu, zastanawiasz się pewnie, co znajdziesz po drugiej stronie, a co ważniejsze – jakie skarby tam na ciebie czekają! Zachowaj jednak ostrożność – chociaż obydwa wymiary pełne są cennych łupów, strzegą ich najsilniejsze moby w grze!

END

MIASTA ENDU

Wieże z kamieni Endu i bloków purpuru sięgają wysoko pod czarne niebo. Miasta Endu pojawiają się na zewnętrznych wyspach, ale znalezienie ich zabierze ci sporo czasu. Jeśli będziesz cierpliwy, czeka cię sowita nagroda – skrzynie pełne skarbów i diamentów. Uważaj tylko na shulkery!

STATKI ENDU

Statki generują się tylko w niektórych miastach, a więc są jeszcze rzadsze. Jeśli jednak znajdziesz jeden z nich i dopisze ci szczęście, możesz zdobyć elytry – przedmiot umożliwiający szybowanie w powietrzu!

FONTANNA ENDU

Fontanna Endu znajduje się na centralnej wyspie. Gdy pokonasz Smoka, na jej szczycie pojawi się smocze jajo i będziesz mógł użyć jej jako portalu powrotnego. To jedyny sposób na powrót do Świata Podstawowego – poza śmiercią oczywiście!

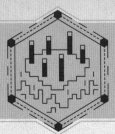

BONUSOWA SKRZYNIA

Kiedy wybierasz ustawienia świata, otwórz menu dodatkowych opcji i włącz bonusową skrzynię. Po wejściu do gry znajdziesz skrzynię z losowo dobranymi przedmiotami, które ułatwią ci start.

JASKINIA

Nie każde schronienie musi dobrze wyglądać. Kilka pierwszych nocy możesz spędzić w jaskini! Nie będzie tak wygodna jak własnoręcznie zbudowany dom, ale ochroni cię przed groźnymi mobami.

BŁYSKAWICZNE ZBIORY

Nie chcesz czekać, aż plony dojrzeją? Pokonaj parę szkieletów i zamień ich kości w mączkę kostną. Posypane mączką rośliny urosną jak na drożdżach!

Nie możesz się doczekać, by rozpocząć przygodę w świecie Minecrafta? Jeśli jesteś pewny swych umiejętności, możesz pominąć pierwsze kroki i od razu wskoczyć na głęboką wodę! Oto kilka rad dla doświadczonych graczy, dzięki którym zaoszczędzisz nawet kilka godzin.

NAJLEPSZE NARZĘDZIA

Chociaż dobrze jest jak najszybciej zrobić cały zestaw narzędzi, nie jest to konieczne. Możesz zacząć tylko z drewnianym kilofem. Wykop nim bloki bruku i zrób kamienny kilof. Teraz możesz już wydobywać żelazo, z którego przygotujesz trwalsze i mocniejsze narzędzia.

1 Drewnianym kilofem wykopiesz bloki kamienia.

2 Kamienny miecz przyda się do obrony, gdy szukasz żelaza.

3 Pełny żelazny pancerz redukuje obrażenia o 60%.

SZABROWANIE BUDOWLI

Zanim założysz bazę, rozejrzyj się po okolicy w poszukiwaniu budowli. Znajdziesz w nich mnóstwo przydatnych surowców – od narzędzi i ekwipunku po jedzenie i bloki budowlane. W Świecie Podstawowym jest wiele wiosek, które zaopatrzą cię w nasiona, dzięki czemu będziesz mógł założyć własną farmę. Pamiętaj tylko, aby nie rozgniewać osadników, bo wtedy nie będziesz mile widziany!

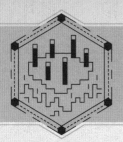

KOŃCOWE WYZWANIA

BURZE

Możesz być pewny, że wiesz już wszystko o przeżyciu w trybie przetrwania, gdy niespodziewana burza z piorunami da ci popalić! Chociaż burze zdarzają się niezwykle rzadko, są bardzo niebezpieczne. Niebo przecinają błyskawice, które podpalają wszystko, w co uderzą – czasem nawet dwa razy! Świat ogarnia chaos: świnie zmieniają się w zzombifikowane pigliny, osadnicy stają się wiedźmami, a z żółwi morskich zamiast tarczek wypadają miski! Możesz nawet znaleźć się w pułapce, otoczony przez szkielety na nieumarłych koniach! Aby ocalić łatwopalne skarby, przygotuj zawczasu piorunochrony ze sztabek miedzi.

Zwiedziłeś już wszystkie światy i wymiary, ale to jeszcze nie koniec przygód! Nadal jest mnóstwo sekretów do odkrycia i przedmiotów do zebrania. Minecraft cały czas dostaje regularne aktualizacje, które dodają do gry nowe moby, bloki, skarby i biomy. Oto kilka wyzwań, które wciąż na ciebie czekają!

MAGICZNE LATARNIE

Jeśli często się gubisz i nie możesz trafić do bazy, magiczna latarnia wybawi cię z kłopotu! Latarnie tworzą jasne słupy światła, widoczne na setki bloków w Java Edition lub na 64 bloki w Bedrock Edition.
To nie wszystko! Dopóki pozostajesz w ich zasięgu, latarnie zapewniają różne moce, takie jak Szybkość, Pośpiech, Odporność, Zwiększony skok czy Siła, co znacznie ułatwia grę w trybie przetrwania.

PODWODNE GŁĘBINY

Jak dotąd zdołałeś przeżyć na lądzie, a co powiesz na głębiny oceanu? Przetrwanie pod wodą wiąże się z oczywistym problemem: trzeba jakoś oddychać. Na dodatek w oceanicznych odmętach jest niezwykle ciemno. Na szczęście jedno i drugie można łatwo rozwiązać – wystarczy, że zbudujesz przewodnię! Postaw ją w bazie, a dopóki pozostaniesz w jej zasięgu, zapewni ci Oddychanie pod wodą, Noktowizję i Pośpiech. Przewodnia ochroni cię też przed intruzami! Teraz możesz spokojnie wyruszyć na poszukiwania zatopionych skarbów.

DO ZOBACZENIA!

Gratulacje! Udało ci się dotrzeć do samego końca *Podręcznika przetrwania*! Możesz teraz mieć poczucie, że jesteś kimś, kto przeżył ekscytujące przygody! W końcu wiesz już wszystko o tym, jak przeżyć w Świecie Podstawowym, Netherze i Endzie.

Chociaż to koniec książki, gra się dopiero zaczyna. Wciąż czeka cię wiele sekretów do odkrycia i biomów do zwiedzenia. Minecraft jest tak wielki, że nie da się wszystkiego opisać w jednej książce!

Za tobą już wiele doświadczeń, ale wciąż szukasz nowych wyzwań? Spróbuj wybrać się na ekspedycję w głębinach oceanu! A może zbudujesz magiczną latarnię? Albo dokopiesz się do samych trzewi ziemi...

Cokolwiek zamierzasz, pamiętaj, że najważniejsze są nie umiejętności i doświadczenie, lecz wiara w siebie. Pierwszy krok do zwycięstwa zaczyna się od pokonania wątpliwości. Dasz radę!

WIERZYMY W CIEBIE!